Deutsch als Fremdsprache – Niveaustufe C1

Abschlusskurs

Ausgabe 2008

Kursbuch + Arbeitsbuch
Lektion 6–10

Michaela Perlmann-Balme
Susanne Schwalb
Dörte Weers

Hueber Verlag

4.	3.	2.		Die letzten Ziffern
2012	11	10	09	08	bezeichnen Zahl und Jahr des Druckes.

Alle Drucke dieser Auflage können, da unverändert,
nebeneinander benutzt werden.
1. Auflage
© 2008 Hueber Verlag, 85737 Ismaning, Deutschland
Verlagsredaktion: Maria Koettgen, Dörte Weers, Thomas Stark, Hueber Verlag
Layout: Marlene Kern, München
Zeichnungen: Martin Guhl, Cartoon-Caricature-Center, München
Druck und Bindung: Stürtz GmbH, Würzburg
Printed in Germany
ISBN 978-3-19-551697-6

INHALT KURSBUCH

INHALT ARBEITSBUCH

INHALT ARBEITSBUCH

KURSPROGRAMM

VORWORT

Liebe Leserin, lieber Leser,

in den vergangenen Jahren haben viele erwachsene Lernende weltweit ihre Deutschkenntnisse mit dem Lehrwerk *em Abschlusskurs* ausgebaut. Dieses Lehrwerk eignet sich für Lernende, die die Prüfung zu einem der B2-Zertifikate bestanden haben oder sich außerhalb eines Kurses vergleichbare Sprachkenntnisse erworben haben.

Wenn Sie alle Lektionen in Kurs- und Arbeitsbuch erfolgreich durcharbeiten, können Sie am Ende eines Kurses das Niveau C1 erreichen, das im *Gemeinsamen europäischen Referenzrahmen* für Sprachen als die fünfte von sechs Stufen beschrieben ist.

Um Ihre Chancen bei einer Stellenbewerbung bzw. für eine Bewerbung um einen Studienplatz zu steigern, können Sie sich diese sehr hohe Kompetenz durch eines der folgenden Zertifikate bestätigen lassen:
- an Goethe-Instituten: *Goethe-Zertifikat C1*
- für Studienplatzbewerber: *TestDaF*
- für Erwachsene an Volkshochschulen und anderen Einrichtungen der Erwachsenenbildung: *telc C1* oder *ÖSD C1 Mittelstufe Deutsch.*

Das flexible Baukastensystem von *em* erlaubt es Ihnen, in einem Kurs ein Lernprogramm zusammenzustellen, das auf Ihre Bedürfnisse abgestimmt ist. Mit *em* werden die vier Fertigkeiten – Lesen, Hören, Schreiben und Sprechen – systematisch trainiert. Dabei gehen wir von der lebendigen Sprache aus. Das breite Spektrum an Texten, das Sie im Inhaltsverzeichnis aufgelistet finden, spiegelt die aktuelle Realität außerhalb des Klassenzimmers wider, für die wir Sie fit machen wollen. Sie begegnen Werken der deutschsprachigen Literatur ebenso wie Texten aus der Presse und dem Rundfunk oder der Fachliteratur. Auch beim Sprechen und Schreiben haben wir darauf geachtet, dass Sie mit praxisorientierten Anlässen sprachlich agieren lernen. Sie können Strategien bei einem Beratungsgespräch ebenso üben wie ein geschäftliches Telefonat.

Unser Grammatikprogramm stellt Ihnen bereits Bekanntes und Neues im Zusammenhang dar. So können Sie Ihr sprachliches Wissen systematisch ausbauen. Auf den letzten Seiten jeder Lektion ist der Grammatikstoff übersichtlich zusammengestellt.

Viel Spaß beim Lesen, Lernen und Durcharbeiten wünschen Ihnen

Michaela Perlmann-Balme
Susanne Schwalb
Dörte Weers

6

___1___ **Beschreiben Sie diese Personen.**

a Die Kleidung

gepflegt – elegant – feminin – geschmacklos – konservativ –
unauffällig – maskulin – leger – korrekt – steif – salopp

b Die Ausstrahlung

kühl – freundlich – anziehend – abstoßend – feindselig – sexy –
unauffällig – mütterlich – distanziert – väterlich – überlegen

AB 62 2

___2___ **Geben Sie den Personen eine fiktive Biografie.**
Berücksichtigen Sie: Alter – Familie – Beruf – Freizeitbeschäftigungen.

1   Klassenumfrage zum Thema „Karriere"

Spielen Sie zu zweit eine Befragung durch. Befragen Sie sich
gegenseitig. Begründen Sie im Gespräch Ihre Antworten.

FRAGEBOGEN

Frage 1: Welche Bedeutung haben diese verschiedenen Lebensbereiche für Sie?				
Bereich	sehr wichtig	wichtig	weniger wichtig	überhaupt nicht wichtig
a Partnerschaft				
b Familie und Kinder				
c Freunde				
d Beruf				
e Weiterbildung				

Frage 2: Was würden Sie tun, wenn es um Ihr berufliches Fortkommen geht?	Ja	Nein
a den Wohnort wechseln		
b den Kleidungsstil ändern		
c auf Zeit mit Freunden verzichten		
d die Betreuung von Haushalt und Kindern hauptsächlich der Partnerin / dem Partner überlassen		
e auf Zeit mit den Kindern / der Familie verzichten		
f auf Kinder verzichten		
g eine intime Beziehung mit dem Chef / der Chefin eingehen		
h Kollegen anschwärzen		

Frage 3: Warum machen Frauen so selten Karriere?	Ja	Nein
Frauen		
a werden durch Kinder an der Karriere gehindert.		
b werden vom Vorgesetzten am Aufstieg gehindert.		
c werden von Partner und Familie nicht genug unterstützt.		
d werden von Partner und Familie am Aufstieg gehindert.		
e sind nicht skrupellos genug.		
f sind zeitlich nicht flexibel genug.		
g sind nicht durchsetzungsfähig genug.		
h sind nicht mobil genug.		
i sind nicht kompetent genug.		

2   Reaktionen

Welche Fragen waren für Sie schwierig zu beantworten?

3   Auswertung

a Fassen Sie die Ergebnisse der einzelnen Interviewpaare auf einer Folie
bzw. an der Tafel zusammen. Wie viele Personen im Kurs haben z.B.
bei den einzelnen Aspekten der Frage 1 (a bis e) mit „sehr wichtig"
geantwortet? Welche Aspekte aus Frage 2 und Frage 3 wurden besonders häufig mit „ja" beantwortet, welche mit „nein"?

b Vergleichen Sie die Ergebnisse der Klasse mit der Umfrage
im Arbeitsbuch.

AB 62 3

__1__   **Erfolgreiche Frauen**

Kennen Sie eine wirklich erfolgreiche Frau?

ⓐ Was macht sie?

ⓑ Was macht sie so erfolgreich?

Christiane Nüsslein-Volhard, Nobelpreisträgerin, Direktorin am Max-Planck-Institut für Entwicklungs- biologie in Tübingen

__2__   **Was ist an der Frau auf dem Foto besonders?**

> **„Eine Frau kann heute fast alles werden.**
>
> **Voraussetzung ist, dass sie sich eine sehr gute Aus- bildung verschafft, mindestens so leistungsbereit ist wie ein Mann und sich nicht von den Zweifeln irritie- ren lässt, die nahezu jeder Frau anerzogen sind."**

ⓐ Welche Meinung hat sie zu den Berufschancen von Frauen?

ⓑ Worum geht es wohl in den folgenden Artikeln?

6

__3__   **Lesen Sie die Texte ohne Wörterbuch.**

Unterstreichen Sie beim ersten Lesen interessante Informationen aus den Texten. Sammeln Sie Ihre Ergebnisse anschließend in der Klasse.

Text 1

Frauen ...

Sie sind klug, kompetent und kämpferisch. Topqualifizierte Frauen erobern Chefsessel in Behörden und Betrieben, in Parteien, Gerichten und Redaktionen. Wirtschaftsexperten sagen:
5 **Frauen sind das Führungspotenzial der Zukunft.**

Karriere-Männer erkennt man an ihren 2000-Euro- Anzügen, am emotionsfreien Blick und daran, dass sie hin und wieder in der Zeitung stehen. Karriere-Frau- en erkennt man gar nicht. Jedenfalls nicht auf Anhieb.
10 Wenn man ihnen irgendwo begegnet, wirken die meisten von ihnen so normal, dass man gar nicht auf die Idee kommt, sie könnten etwas Besonderes sein.

Dabei hätten Karriere-Frauen allen Grund, etwas ein- gebildeter zu sein. Schließlich hat jede einzelne einen
15 beinharten Aufstiegskampf hinter sich und allen zusammen gehört die Zukunft. Im 21. Jahrhundert, so prophezeien Wissenschaftler, werden typisch „weibliche Führungsqualitäten" gefragt sein: Teamgeist, Flexibili- tät, Kompromissfähigkeit und Kreativität.

20 **D**ie STERN-Umfrage zeigt, dass für 38 Prozent der Frauen ihr Beruf „sehr wichtig" ist, etwa jede siebte legt großen Wert auf gute Aufstiegsmöglichkeiten und hohes Einkommen. Und weil solche Privilegien nur

für Leute mit guter Ausbildung zu haben sind, fängt die Push-up-Generation frühzeitig an zu powern. 25 Mädchen schließen die Schule im Schnitt mit besseren Noten ab als Jungen, sie stellen bereits mehr als die Hälfte der Abiturienten sowie 42 Prozent der Hoch- schulabsolventen.

„**D**ie Zukunft gehört den Frauen", postuliert denn 30 auch das britische Wirtschaftsmagazin „The Econo- mist" angesichts der Arbeitsmarktentwicklung in den Industrienationen: Der Anteil der Männer an den Erwerbstätigen sinkt, der von Frauen steigt. Die Löhne und Gehälter sind zwar längst noch nicht 35 gleich, die der Frauen steigen aber in den meisten Ländern deutlich schneller. Und Frauen erobern mehr und mehr politische Posten. In Deutschland etwa hat sich die Zahl der Parlamentarierinnen seit 1980 mehr als verdreifacht, und seit 2005 wird die Bundes- 40 regierung zum ersten Mal von einer Frau geführt.

Frauen haben bessere Chancen, etwas zu werden, als jemals zuvor. Das heißt allerdings nicht, dass sie es leicht hätten – so leicht wie Männer. Die weibliche Elite von morgen muss noch immer gegen die Vor- 45 urteile von gestern anrennen, ihr Privatleben general- stabsmäßig organisieren.

„Es ist für Männer immer noch furchtbar, wenn Frauen aufsteigen", sagt die Hamburger Landgerichts-
50 präsidentin Konstanze Görres-Ohde. Und deshalb versuchen viele Männer, die neue Konkurrenz möglichst frühzeitig abzublocken. Noch immer haben Hochschulabsolventinnen es schwerer, einen Einstiegsjob zu finden, als ihre Kommilitonen, wie eine Untersuchung
55 der Universität Erlangen-Nürnberg zeigt. Noch immer landen Frauen auf schlechter bezahlten Stellen mit geringeren Aufstiegschancen.

„Frauen verdienen im Durchschnitt 26 Prozent weniger als gleich qualifizierte Männer", sagt Gerhard Engelbrecht vom Institut für Arbeitsmarkt- und 60 Berufsforschung. „Als wir in den Betrieben fragten, woran das liegt, kamen die ganzen alten Vorurteile – allen voran das falsche Argument, dass Frauen wegen der möglichen Schwangerschaften ein höheres ‚Investitionsrisiko' seien. Dabei ist längst belegt, dass Männer 65 den Betrieben in vielen Berufen nicht länger erhalten bleiben als Frauen, weil sie viel häufiger wechseln, um ein besseres Gehalt zu bekommen."

Text 2

Legen Frauen weniger Wert auf Karriere?

Christine Nüsslein-Volhard fördert mit einer Stiftung junge Wissenschaftlerinnen mit Kindern.
Für ihr Engagement erhielt sie den Ehrenpreis der L'Oréal-Unesco-Partnerschaft.

5 *Im Laufe einer Wissenschaftskarriere sinkt der Frauenanteil von 50 Prozent beim Examen auf zehn Prozent bei den Professuren. Fehlt den Frauen das Karriere-Gen?* In der Tat fällt auf, dass Frauen weniger zielstrebig sind und weniger karriereorientiert. Wenn man
10 eine Frau fragt, was sie machen möchte, sagt sie, sie liebt es, im Labor zu arbeiten und Rätsel zu lösen. Fragt man einen Mann, sagt er, er will Professor werden.
Frauen sind also selber schuld, wenn sie nicht weiterkommen? Zum Teil ja. Viele sind noch immer so
15 erzogen, dass sie lieber heiraten und Kinder kriegen möchten. Und wenn sie mit Kindern weiter arbeiten, wird ihnen eingeredet, sie seien Rabenmütter. Diesem Konflikt gehen viele Frauen lieber aus dem Weg.
Sie selber haben keine Kinder. Hätten Sie dieselbe
20 *Karriere auch mit Familie machen können?* Für einen

Nobelpreis hätte es vielleicht nicht gereicht. Aber ich hätte sicher einen anständigen Job bekommen. Mit Kindern hätte ich eher bei meinen Hobbys kürzer getreten.
Sie haben eine Stiftung gegründet. Wie unterstüt- 25 *zen Sie die Frauen?* Ein Jahr lang zahlen wir ihnen 400 Euro monatlich. So können sie sich eine Haushaltshilfe leisten und sich auf die wissenschaftliche Arbeit konzentrieren.
Hilft Geld denn wirklich? Ja, mehr als man denkt. 30 Wir haben festgestellt, dass Frauen lernen müssen, sich für Geld Sachen abnehmen zu lassen. Wir wollen ihnen zeigen, dass sie nicht alles machen können – den Boden wischen, Babys wickeln und bahnbrechende Entdeckungen machen. Das geht nicht. 35
Sollten Frauen die männlichen Karrieremuster imitieren, um weiterzukommen? Es kann nicht schaden. Um Karriere zu machen, müssen sie Ehrgeiz und Mut zur Macht entwickeln. Vor allem aber müssen sie, um etwas zu entdecken, viel arbeiten – Versuche 40 machen, Paper schreiben, Vorträge halten.

Text 3

Nicht nachlassen
Von Susanne Geiger

In 940 Jahren, so schätzt ein Schweizer Wirtschaftsinstitut, besetzen Frauen in Industrie, Verwaltung und Politik genauso viele Spitzenpositionen wie die Männer. Besser als gar nichts, könnte man da sagen. Die Rech-
5 nung geht allerdings nur auf, wenn das bisherige Tempo beibehalten wird. Doch nicht einmal danach sieht es derzeit aus.

Nach wie vor fehlt es an qualifizierten Teilzeitstellen, mit deren Hilfe Frauen und Männer Beruf und Familie besser vereinbaren könnten. Weil in den Industrieländern viele 10 Millionen Jobs fehlen, wird der Kampf um die vorhandenen Stellen härter. Dabei geht es natürlich nicht um die Verkäuferin, Sekretärin oder Krankenschwester. Wohl aber um die Abteilungsleiterin, die Spitzenbeamtin oder Managerin.

LESEN 1

Text 4

Sind Jungen das schwache Geschlecht?

Vorbei die Zeit, als Jungen eine gesicherte Zukunft im Patriarchat erwartete. Mädchen haben mittlerweile die besseren Perspektiven, sind in Schule und Studium erfolgreicher.

Frank Beuster, Lehrer und Autor des Buches »Jungenkatastrophe – das überforderte Geschlecht«: „In den letzten Jahrzehnten wurde viel dafür getan, die Stellung der Mädchen zu verbessern. Jetzt ist es an der Zeit, sich vermehrt um die Jungs zu kümmern. Die Gesellschaft ist insgesamt weiblicher geworden. Feminine Soft Skills¹ wie Kommunikationsfähigkeit sind stärker gefragt als männliche Körperkraft. Und die Jungen bekommen nicht gezeigt, wie sie mit den veränderten Anforderungen umgehen sollen, da ihnen greifbare männliche Identifikationsfiguren fehlen. Viele wachsen ohne einen Vater auf, in der Schule stehen ihnen vor allem Lehrerinnen gegenüber. Damit aus der Jungenkatastrophe keine Männerkatastrophe wird, brauchen die Jungen dringend mehr Förderung.“

¹ Fähigkeiten im Umgang mit anderen Menschen

___P 4___ Verstehen von Einzelheiten

Welche Aussagen aus den vier Texten passen zu den Themenschwerpunkten 1–7?

		Text 1	Text 2	Text 3	Text 4
0	Bedeutung des Berufs für Frauen	*für 38 Prozent sehr wichtig*	*weniger zielstrebig u. karriereorientiert*		
1	Aussichten des Kampfes um Chancengleichheit				
2	Leistungen von Jungen in der Schule				
3	Gehälter von Frauen und Männern				
4	Möglichkeit für Frauen, dieselbe Stellung zu erreichen wie Männer				
5	Rolle der Kinder für die Karriere von Frauen				
6	Auswirkungen von veränderten Familienstrukturen auf die Kinder				
7	Tempo der Entwicklung hin zur Gleichberechtigung				

AB 63 4–5

___5___ Geben Sie dem ersten Text einen Titel.

___GR 6___ Variation: verbal – nominal   GR S. 78

a Suchen Sie in Text 1 die zu den Beispielen passenden Stellen.

verbal bzw. Nebensatz	nominal
Karriere-Männer erkennt man daran, dass sie 2000-Euro-Anzüge tragen.	*Karriere-Männer erkennt man an ihren 2000-Euro-Anzügen. (Zeile 6)*
	Bei einer zufälligen Begegnung mit ihnen ...
	Der Aufstieg von Frauen ist für Männer immer noch furchtbar.
..., dass Frauen ein Investitionsrisiko seien, weil sie schwanger werden könnten.	

b Analysieren Sie: Was hat sich in den Sätzen verändert?

c In welchen Texten verwendet man besonders häufig Nominalstil?
☐ in Fach-/Sachtexten ☐ in mündlichen Texten ☐ in literarischen Texten AB 65 6–11

71

HÖREN

1   Was ist Personalchefs wichtig?

a Lesen Sie die Informationen zu der Dame auf dem Foto.

> Birgit Straub, Personalchefin, leitet eine Medien-Event-Agentur. Geschäftsfeld ist die Organisation von Präsentationen, Auftritten, Werbeereignissen, Empfängen, Partys, von klein und fein bis zu richtig groß. Zum Beispiel eine Rundreise durch Deutschland mit Showbühne, Bands, Moderatoren, Video-Leinwand etc. oder ein großes Diner für 400 Personen im Saal eines Hotels.

b Wie findet Frau Straub wohl neue Mitarbeiter?

c Welche Kriterien könnten dabei wichtig sein?

P 2   Eine Personalchefin berichtet

CD | 24–28

Hören Sie nun Frau Straub über die Auswahl neuer Mitarbeiter und notieren Sie die wichtigsten Informationen. Lesen Sie vor dem Hören die Aufgaben und antworten Sie in Stichworten.

Abschnitt 1 **Das Unternehmen**
Zahl der festen Mitarbeiter: _____, Zahl der freien Mitarbeiter: _____

Abschnitt 2 **Auswahlkriterien für neue Mitarbeiter**
Welche bezeichnet Frau Straub als wichtig, welche als nicht so wichtig?

	wichtig	weniger wichtig
Qualifikation		
Sympathie		
Aussehen		
Interesse am Projekt		

Abschnitt 3 **Die schriftliche Bewerbung**
Wie wichtig sind die folgenden drei Punkte? Bilden Sie eine Reihenfolge. Ordnen Sie.

☐ Punkt 1   Aussehen der Bewerbungsunterlagen
☐ Punkt 2   Foto
☐ Punkt 3   Lebens- und Berufserfahrung

Welche vier Dinge gehören für Frau Straub zu den Bewerbungsunterlagen?
1. ~~Foto~~   2. _____   3. _____   4. _____

Abschnitt 4 **Das Vorstellungsgespräch**
Wie viele Personen kommen zum Vorstellungsgespräch? _____
Die Personalchefin interessiert: _____

Kreuzen Sie an: Für das Thema „Gehalt" gilt:
☐ Darüber spricht man nicht.
☐ Das bestimmt die Firma, die einstellt.
☐ Das wird zwischen der Firma und dem Mitarbeiter ausgehandelt.

Abschnitt 5 **Die Entscheidung**
Wie soll sich ein Bewerber über die Entscheidung der Firma informieren?

_____

Welches Verhalten gegenüber dem zukünftigen Arbeitgeber ist ratsam?

_____

Was sollte ein Bewerber vermeiden?

_____

72

WORTSCHATZ – *Gehalt*

__1__ **Haben Sie schon einmal eine Gehaltsabrechung erhalten?**

Was enthielt sie?

__2__ **Die Gehaltsabrechnung**

a Vergleichen Sie die beiden Abrechnungen. Wie hoch sind jeweils die Abzüge?

b Bei den Versicherungen bezahlt der Arbeitnehmer jeweils nur ungefähr die Hälfte des Beitrags. Wer finanziert die andere Hälfte?

	Beatrice B. ledig, katholisch, arbeitet als Verkäuferin	Michael K., verheiratet, ohne Konfession, Frau halbtags berufstätig, zwei Kinder, arbeitet als Ingenieur
Monatliches Bruttogehalt	1.650,00	6.000,00
Lohnsteuer	168,33	1.145,50
Kirchensteuer	15,08	–
Solidaritätszuschlag	9,25	75,14
Steuer insgesamt	192,66	1.220,64
Rentenversicherung	160,88	585,00
Krankenversicherung	141,90	567,00
Pflegeversicherung	18,15	51,00
Arbeitslosenversicherung	53,63	195,00
Sozialversicherungen insgesamt, ca. 22 %	374,56	1.398,00
Monatliches Nettogehalt	1.082,78	3.381,36

AB 68 12

__3__ **Was wird aus den Abgaben finanziert?**

Ordnen Sie zu.

Arbeitslosenversicherung	Alte und Kranke werden zu Hause von einem Dienst oder in einem Heim versorgt.
Kirchensteuer	Der Ehepartner und/oder minderjährige Kinder bekommen nach dem Tod des Gehaltsempfängers monatlich Geld für die Lebenshaltung.
Krankenversicherung	Zuschüsse zum wirtschaftlichen Aufbau in Ostdeutschland.
Lohnsteuer	Jemand verliert seinen Arbeitsplatz und bekommt für eine bestimmte Zeit einen Teil des Gehaltes bezahlt.
Pflegeversicherung	Kinder besuchen einen konfessionellen Kindergarten oder eine konfessionelle Privatschule. Die Eltern bezahlen nur einen Teil der Kosten.
Rentenversicherung	Gehälter von Lehrern und andere Ausgaben für Schulen, Universitäten, Krankenhäuser etc.
Solidaritätszuschlag	Krankenhausaufenthalt nach einem Unfall oder schwerer Erkrankung.
	Man muss zum Arzt. Die Rechnungen schickt der Arzt an eine Kasse.
	Menschen in finanzieller Not, die nicht allein für sich sorgen können und deshalb Sozialhilfe erhalten.
	Monatliche Zahlung nach Ausscheiden aus der Berufstätigkeit.

__4__   Der „kleine" Unterschied

Ergänzen Sie folgende Adverbien im Text mithilfe des Schaubilds.

respektive – allerdings – lediglich – vielmehr –
je nachdem – zumeist – deutlich – sogar

Der „kleine" Unterschied

Frauen mit Vollzeitjob verdienen immer noch (1) _____ weniger als Männer. Die weiblichen Angestellten in der Industrie, im Handel, bei Banken und bei Versicherungen bekommen in Deutschland rund 30 Prozent weniger als ihre männlichen Kollegen. Arbeiterinnen haben 26 % weniger als ihre männlichen Kollegen in der Lohntüte.

Gleicher Lohn für gleiche Arbeit?

Durchschnittlicher Bruttoverdienst von Vollzeitbeschäftigten in Industrie, Handel sowie Kredit- und Versicherungsgewerbe je Monat in Euro

Alte Länder — *Neue Länder*

Alte Länder		Neue Länder
2 667 Euro	weibliche Angestellte	2 176 Euro
3 767	männliche Angestellte	2 823
1 956	weibliche Arbeiter	1 515
2 634	männliche Arbeiter	1 946

Quelle: Statistisches Bundesamt   Stand 2003   © Globus 9084

(2) _____ zeigt unsere Grafik nicht den Lohnabstand bei gleicher Arbeit und Position. (3) _____ sind Frauen häufiger im Dienstleistungssektor beschäftigt als Männer, während zum Beispiel die Bauwirtschaft (4) _____ eine Männerdomäne ist. Hauptgrund der Differenz ist die unterschiedliche Einstufung, (5) _____ wie qualifiziert man ist. 40% der männlichen Angestellten waren in die Leistungsgruppe II eingestuft – aber (6) _____ 15% der weiblichen. Diese Leistungsgruppe setzt besondere Erfahrungen voraus und umfasst verantwortliche Tätigkeiten. (Bei den Arbeitern waren (7) _____ 60% der Männer als Fachkräfte eingruppiert, aber nur 13% der Frauen).
Ein weiterer Grund für das Gefälle sind die Erziehungszeiten, die bei Frauen einen „Karriereknick" und kürzere Betriebszugehörigkeiten verursachen. Wegen besserer Kinderbetreuungsmöglichkeiten (8) _____ kürzerer Ausfallzeiten von Frauen klafft die Einkommensschere in den neuen Bundesländern nicht so weit auseinander wie im Westen.

LESEN 2

<u>1</u> ### Sind Sie ein ehrgeiziger Mensch?

Sammeln Sie Eigenschaften und Verhaltensweisen, die Ihrer Meinung nach eine Karriere fördern bzw. ihr hinderlich sind.

karrierefördernd	hinderlich für die Karriere
hohe Motivation,	

<u>P 2</u> ### Setzen Sie im folgenden Text jeweils das passende Wort in die Lücken (1) bis (10).

6

Achtung, Stolpersteine!

Sieben Karriere-Fallen

Kompetenz und Motivation sind wichtige Karriere-Faktoren. Wer im Job nach oben will, sollte außerdem Teamfähigkeit und Flexibilität beweisen – und Stolpersteine rechtzeitig aus dem Weg räumen. Die sieben häufigsten Karriere-Fallen und wie man sie (1).

(1)
A verändert
B vermeidet
C umstellt
D besteht

Fehlende Netzwerke

Vitamin B gehört immer noch zu den besten Karrierebeschleunigern. Wer (2) interne als auch externe Kontakte knüpft und pflegt, kann sich besser über aktuelle Entwicklungen im Unternehmen auf dem Laufenden halten. In komplizierten Situationen lassen sich persönliche Kontakte nutzen, um nach Hilfe zu fragen und Verbündete zu mobilisieren. Auch bei Entlassungswellen fällt häufig weicher, wer sich auf gute Kontakte innerhalb des Unternehmens berufen kann.

(2)
A nicht nur
B einerseits
C zwar
D sowohl

(3)
A gefragt
B gesucht
C gebraucht
D verbunden

Anpassungsschwierigkeiten

Im Zeichen der Globalisierung ist Flexibilität (3). Das kann die Versetzung in eine andere Abteilung oder gar an einen anderen Unternehmensstandort bedeuten. Jetzt sind Geduld und Durchhaltevermögen angezeigt. Nutzen Sie die Anfangszeit, um zu beobachten, wer mit wem kann, wer die Fäden in der Hand hält und wer (4) sympathisch ist. Small Talk ist jetzt wichtig, um erste Kontakte zu knüpfen und Ihr Netzwerk auszubauen. Auch wenn Sie sich anfangs etwas verloren und einsam fühlen – nutzen Sie die Chance, die in der Veränderung liegt.

(4)
A zu Ihnen
B mir
C für Sie
D Ihnen

Kollegen-Kleinkriege

Arbeitskollegen kann man sich leider nicht aussuchen. (5) zwei Drittel aller Konflikte in Firmen haben nur zweitrangig mit den Inhalten zu tun. Sie spielen sich vielmehr auf der zwischenmenschlichen Ebene ab. Versuchen Sie ausgleichend auf andere einzuwirken, (6) Sie ruhig bleiben, aber trotzdem bestimmt argumentieren. Mit Vernunft entlarven Sie das unangebrachte Verhalten des Kollegen. Seien Sie selbstkritisch, wenn Sie das Gefühl haben, den Konflikt selber verursacht zu haben.

(5)
A Bis
B Rund
C Kaum
D Zu

(6)
A wenn
B anstatt dass
C indem
D vor allem

Angst vor Krisen

Krisensituationen sind Teil des Arbeitsalltags, genauso wie Anerkennung und Erfolg. Gerade in schwierigen Situationen können Sie bei Ihrem Chef punkten und sich durch Einsatzbereitschaft hervortun. Anstatt sich zu verstecken, suchen Sie aktiv nach solchen Herausforderungen. Das beeindruckt (7) und Kollegen gleichermaßen.

(7)
A Vorsitzende
B Vorgesetzte
C Angestellte
D Bekannte

Falsche Bescheidenheit

Wenn Sie Ihre Karriere vorantreiben wollen, dann zeigen Sie, was Sie geleistet haben. Mit falscher Bescheidenheit und der Hoffnung, der Chef wird schon von allein draufkommen, was er an Ihnen hat, schaden Sie sich. Damit lässt sich auch erklären, (8) viele Frauen weniger verdienen als ihre männlichen Kollegen. Studien belegen, dass sie im Vergleich weniger aggressive Selbstvermarktung betreiben.

(8)
A wozu
B deshalb
C weshalb
D wobei

Arbeitsüberlastung

Auf Phasen hoher Arbeitsbelastung müssen Ruhe und Entspannung (9), sonst droht der Burn-out. Stress bei der Arbeit ist häufig unvermeidbar und kann auch zu besonderen Leistungen anspornen. Auf Dauer beeinträchtigt er aber die Leistungsfähigkeit. Versuchen Sie deshalb, gezielt Auszeiten vom Job zu nehmen. Entspannen Sie mit Familie und Freunden oder indem Sie Ihren Hobbys nachgehen.

(9)
A kommen
B entstehen
C folgen
D verfolgen

Mangelnde Teamfähigkeit

Brillante Einzelleistungen sind schön und gut – aber nur von geringem Nutzen, wenn sie nicht dem gesamten Projekt dienen. Zeigen Sie, dass Sie auch im Team stark sind – anstatt dickköpfig auf Ihrer Sichtweise zu beharren, beweisen Sie Flexibilität und Kompromissfähigkeit. Das gemeinsam angestrebte Arbeitsziel (10) immer im Vordergrund stehen. So erarbeiten Sie sich nicht nur die Anerkennung vom Chef, sondern auch den Respekt der Kollegen.

(10)
A darf nicht
B kann nicht
C müsste
D sollte

__3__ Vergleichen Sie

Welche der Fähigkeiten und Eigenschaften, die Sie in Aufgabe 1 notiert haben, finden Sie im Text, welche nicht? Und welche werden außerdem genannt? AB 68 13–14

SCHREIBEN

P 1 **Stress am Arbeitsplatz – was fällt Ihnen dazu spontan ein?**

Für eine Recherche zu Arbeitsbedingungen in verschiedenen Ländern sollen Sie die Verhältnisse in Ihrem Heimatland mit denen in Deutschland vergleichen. Verfassen Sie dazu einen informativen Text, der beispielsweise in einer Kurszeitung erscheinen kann.

Gehen Sie in folgenden Schritten vor.

Schritt 1 **Eine Grafik erschließen**
Suchen Sie aus dem Schaubild die zentralen Informationen heraus.

(a) die größten Belastungen

(b) weniger schwere Belastungen

Schritt 2 **Beispiele formulieren**
Greifen Sie einen Aspekt heraus und erklären Sie ihn mit einem Beispiel aus Ihrem Heimatland oder aus Ihrer Erfahrung.

Stress am Arbeitsplatz

Bewertung der Arbeitsbelastung in den Betrieben auf einer Skala von 1 (= sehr gering) bis 7 (= sehr hoch)

Termin-, Zeitdruck	5,7
	schlechte Führung — 5,0
Angst vor Arbeitsplatzverlust	4,9
mangelnde Arbeitszeit-Planbarkeit	4,5 — mangelnder Informationsfluss
schlechtes Betriebsklima	4,3
	4,2 — häufige Überstunden
störende Arbeitsunterbrechungen	3,9 — unklare Zuständigkeiten
Zeitmangel für Informationsaustausch*	3,8 — mangelnde Aufstiegsmöglichkeiten
Überforderung mangels Qualifikation	3,4 — monotones Arbeiten

© Globus   *über Arbeitsinhalte   Quelle: WSI/Betriebsräte-Befragung 2004   9647

Schritt 3 **Notieren Sie eigene Ideen zu folgenden Punkten:**
– Auswirkungen von bestimmten Stressfaktoren auf die Gesundheit der Arbeitnehmer.
– Situation diesbezüglich in Ihrem Heimatland.

Schritt 4 **Selbstkorrektur**
Ordnen Sie die folgenden Kriterien in den Kasten unten ein:

Ausdruck – Korrektheit – Inhalt – Textaufbau – Stil

Welche der Fragen bzw. Schritte halten Sie für besonders schwierig? Warum?

Kriterium	Frage	Schritt/Beispiel
	Habe ich alle Punkte der Aufgabenstellung behandelt?	■ Ordnen Sie den Passagen Ihres Textes die Leitpunkte der Aufgabenstellung zu.
	Habe ich den Text klar und übersichtlich gegliedert?	■ Machen Sie Absätze nach der Einleitung, nach jedem Leitpunkt und vor dem Schlusssatz.
	Habe ich mich elegant ausgedrückt?	■ Schreiben Sie nicht nur Hauptsätze, sondern Haupt- und Nebensätze. ■ Verbinden Sie die Sätze miteinander. Beginnen Sie einige Sätze z. B. mit *Deshalb ... – Aber ... – Trotzdem ...*
Ausdruck	Habe ich mich präzise ausgedrückt?	■ Verwenden Sie möglichst feste Ausdrücke wie *ein Gespräch führen, eine Frage stellen, einen Hinweis geben.*
	Habe ich richtig geschrieben?	■ Kontrollieren Sie Endungen von Adjektiven und Verben, Wortstellung im Satz, z. B. Verb-Endstellung bei Nebensätzen.

ÜG S. 182

1   Funktion

Sachverhalte lassen sich häufig entweder durch einen verbalen oder durch einen nominalen Ausdruck formulieren. Durch solche Variationen kann man

a einen Text abwechslungsreich gestalten bzw. Wiederholungen im Satzbau vermeiden,

b den Stil eines Textes bestimmen: Je mehr nominale Ausdrücke ein Text enthält, desto komprimierter und abstrakter wirkt er. Nominalstil ist typisch für bestimmte schriftliche Textsorten, zum Beispiel fachsprachliche Texte oder Zeitungstexte mit hohem Informationsgehalt. In der Umgangssprache spielt er eine geringere Rolle.

2   Variationen

a Verbale Ausdrücke – Sätze mit Kasusergänzung

verbal	nominal	Analyse
Die Frauen reagierten entsprechend.	die entsprechende Reaktion der Frauen	Subjekt wird nominaler Genitiv: *Die Frauen →* *(die Reaktion) der Frauen*; Verb wird Nomen: *reagieren → Reaktion*; Adverb wird Partizip: *entsprechend → entsprechende*
Männer misstrauen* Karriere-Frauen immer noch völlig.	das Misstrauen der Männer gegenüber Karriere-Frauen	Verb mit Dativergänzung wird Nomen mit Präpositionalergänzung: *misstrauen Karriere-Frauen → Misstrauen gegenüber Karriere-Frauen*

*weitere Verben mit Dativergänzung	dazugehörige Nomen mit Präposition
jemandem ähneln	die Ähnlichkeit mit jemandem
jemandem antworten	die Antwort an jemanden
jemandem danken	der Dank an jemanden
jemandem helfen	die Hilfe für jemanden
jemandem nützen	der Nutzen für jemanden
jemandem vertrauen	das Vertrauen zu jemandem

b Verbale Ausdrücke – Sätze mit Präpositionalergänzung

verbal	nominal	Analyse
Karriere-Männer erkennt man daran, dass sie 2000-Euro-Anzüge tragen.	Karriere-Männer erkennt man an ihren 2000-Euro-Anzügen.	Präpositionalpronomen + Nebensatz wird Präposition + Nomen: *daran, dass →* *an + Dat.*; Personalpronomen wird Possessivpronomen: *sie → ihren*
Jede siebte Frau legt großen Wert darauf, aufsteigen zu können und viel zu verdienen.	Jede siebte Frau legt großen Wert auf Aufstiegsmöglichkeiten und hohen Verdienst.	Präpositionalpronomen + Infinitivsatz wird Präposition + Nomen: *darauf, … aufsteigen zu können → auf Aufstiegsmöglichkeiten*; Adverb wird Adjektiv: *viel → hohe*

c Nominale Ausdrücke – Sätze mit Nebensatzkonnektor

verbal – Nebensatz	nominal	Analyse
Frauen seien ein Risiko, weil sie schwanger werden könnten.	Frauen seien wegen der möglichen Schwangerschaften ein Risiko.	Nebensatzkonnektor wird Präposition: *weil → wegen*; Modalverb wird modales Adjektiv: *könnten → möglich*; Adjektiv wird Nomen: *schwanger → Schwangerschaft*
Männer wechseln, um ein besseres Gehalt zu bekommen.	Männer wechseln zur Aufbesserung ihres Gehalts.	Nebensatzkonnektor wird Präposition: *um … zu → zu(r/m)*; Adjektiv wird Nomen: *besser → Aufbesserung*; Akkusativergänzung wird nominaler Genitiv: *ein Gehalt* (Akk.) *→ ihres Gehalts* (Gen.)

6

KRIMINALITÄT

7

___1___ **Hypothesen**

   ⓐ Warum steht der Mann wohl auf dem Dach?

   ⓑ Was hat er vor?

   ⓒ Wen sieht er wohl an?

AB 74   2

___2___ **Das Foto stammt aus einem Kriminalfilm.**

   ⓐ Sehen Sie sich gern Kriminalfilme an? Was ist Ihr Lieblingsfilm?

   ⓑ Berichten Sie kurz von einem Kriminalfilm, den Sie kürzlich gesehen haben.

AB 74   3

__1__   **Sehen Sie sich die Zeichnung an.**

a Was erkennen Sie auf dem Bild?

b Was könnte der Mann rechts von Beruf sein?

__2__   **Globales Verstehen**

a Lesen Sie den Text und beantworten Sie dann die folgenden Fragen.

Frage	Antwort
■ Um was für eine „Branche" geht es in dem Text? Was für einen „Beruf" hat der Erzähler?	
■ Wer sind die „Jungs"?	
■ Worüber beklagt sich der Erzähler?	
■ Wer könnte der fiktive Zuhörer wohl sein?	

Eine Branche im Strukturwandel

Wissen Sie, den Leuten geht's einfach zu gut heute. Warum? Das will ich Ihnen gern erklären. Schauen Sie, ich bin jetzt 20 Jahre im Geschäft. Hatte noch nie etwas mit der Polizei zu tun, ehrlich wahr! Bei mir lief
5 das immer alles ganz korrekt und sauber. Juwelen, Goldmünzen, Silberbestecke, mal 'ne Briefmarken- sammlung – solche Sachen eben. Sie sehen ja, ich habe nicht wahnsinnig viel Platz in meiner Bude[1]. Und das Zeug muss auch immer möglichst schnell raus, gell.
10 Soll hier ja nicht liegen bleiben, bis der Staatsanwalt anklopft, was? Haha! Nicht erschrecken! War nur'n kleiner Witz! Ich hab meinen Jungs immer faire Preise gemacht. Jeder hat seinen gerechten Anteil gekriegt. Da konnte sich keiner beschweren. Juwelen ja! Hab ich
15 den Jungs immer gesagt. Goldmünzen ja! Briefmarken ja! Antiquitäten ja, wenn's kleine und handliche sind. Aber die Leute geben sich heutzutage mit solchen Sachen nicht mehr ab. Was mir meine Mitarbeiter in letzter Zeit so alles anschleppen, also nee! Gucken Sie mal: ein Whirlpool mit Marmoreinfassung, drei Meter 20 achtzig mal zwei Meter zwanzig. Wiegt tausendvier- hundert Kilo! Tausendvierhundert! Den krieg ich nur mit 'nem Gabelstapler[2] wieder hier raus. Oder werfen Sie mal 'n Blick auf'n Hof raus: Da unter der Plane[3]: 'ne Sportjacht, Vollmahagoni, zweimal 450 PS, Länge 25 18 Meter. Können Sie mir jetzt verraten, wie ich das Ding unbemerkt weiterverkaufen soll? Letztens kommt einer von den Jungs mit 'nem Hubschrauber an. Sag ich: Nee, jetzt reicht's, ich bin ja kein Flugplatz hier! Ihr wisst doch genau, was ich will: Ich will Gold- 30 münzen, Juwelen, Briefmarken und so weiter. Wird der Kerl sauer. Was sollen wir denn machen?, schimpft er. Die Leute sammeln eben keine Briefmarken mehr! Die kaufen sich nur noch so protziges[4] Zeug! Na ja, im Grunde hat er ja recht: Den Leuten geht's einfach zu 35 gut heutzutage.

[1] kleiner Raum / kleines Haus [2] Fahrzeug, mit dem man schwere Gegenstände hebt und transportiert [3] große Plastikdecke [4] angeberisch

b Welche vier Gegenstände, die der Erzähler nennt, finden Sie auf dem Bild oben?

__3__   **Sprachstil**

In welchem Stil ist der Text geschrieben?
☐ gesprochene Sprache   ☐ Schriftsprache
Geben Sie Beispiele.

AB 75 4

WORTSCHATZ – *Recht und Kriminalität*

1   Vor Gericht

Folgende Personen sind bei einem Prozess meist anwesend:

der/die Angeklagte – der/die Verteidiger/in – der Staatsanwalt /
die Staatsanwältin – der/die Richter/in – der Zeuge / die Zeugin

a Ordnen Sie diese Bezeichnungen den Personen auf dem Bild zu.

1 Angeklagter, erklären Sie mir, in welcher Beziehung Sie zu Frau ... standen.

2 Ich kenne den Angeklagten nur flüchtig aus meiner Stammkneipe.

3 Ich bin unschuldig, so glauben Sie mir doch!

4 Mein Mandant hat für die Tatzeit ein einwandfreies Alibi.

5 Wir kommen zur Urteilsverkündung.

b Wer könnte was sagen?

2   Von der Tat zur Strafe

a Ordnen Sie die folgenden Begriffe den passenden Kategorien 1 bis 5 zu und klären
Sie die jeweilige Bedeutung.

der Angeklagte – der Betrug – zur Bewährung – der Diebstahl – die Eifersucht –
der Einbruch – die Erpressung – der Freispruch – das Gefängnis – die Geiselnahme –
die Geldbuße – die Geldprobleme – das Geständnis – die Haft – die Körperverletzung –
der Mord – die Rache – der Richter – der Staatsanwalt – der Überfall –
der Verdächtige – das Verhör – die Vernehmung – der Verteidiger

1 das Motiv	
2 die Tat, das Delikt	*der Betrug*
3 die Ermittlung und die Festnahme	
4 das Gerichtsverfahren, der Prozess	
5 das Urteil und die Strafe	

b Verbinden Sie die Nomen mit den passenden Verben.

Anklage	ablegen
den Täter	aussetzen
eine Strafe	begehen
eine Straftat, ein Verbrechen	erheben
einen Prozess gegen jemanden	ermitteln
ein Geständnis	fassen/stellen
ein Plädoyer für den Angeklagten	führen
ein Urteil	halten
gegen Tatverdächtige	sprechen/fällen
vor Gericht	stehen
Zeugen	verbüßen
zur Bewährung	vernehmen

c Beschreiben Sie nun mit Ihrer Lernpartnerin / Ihrem Lernpartner einen
fiktiven oder einen realen Kriminalfall von der Tat bis zum Urteil.
Verwenden Sie die Ausdrücke aus den Aufgaben 2 **a** und 2 **b**.

Beginnen Sie beispielsweise so:
*Hans B. brauchte dringend Geld. Er hatte schon häufig beobachtet,
wie der Tankwart jeden Abend Geld in eine Ledertasche packte. ...*

AB 75 5–7

7

LESEN 2

<u>1</u>   **Begriffsklärung**

Was versteht man unter dem Begriff „Strafmündigkeit"?
Kreuzen Sie an.

☐ die Bestrafung von Menschen über 18 Jahren
☐ die Strafe, die man für „Mundraub" (Diebstahl aus Hunger) bekommt
☐ das Alter, ab dem man für seine Straftaten verantwortlich gemacht werden kann

<u>2</u>   **Einführung ins Thema**

a Lesen Sie folgenden Text.

Strafmündigkeit von Kindern

Jugendliche rauben, Heranwachsende bilden Banden, schon Kinder stehlen und begehen Gewalttaten. Im vergangenen Jahr ermittelte die Polizei bundesweit gegen 130 000 tatver-⁵dächtige Kinder unter 14 Jahren wegen Diebstahls, Körperverletzung oder anderer Delikte. Vor Gericht gestellt und bestraft werden können sie nicht, denn erst mit 14 Jahren sind sie strafmündig. Die Polizeige-werkschaft fordert nun, dass die Strafmün-¹⁰digkeit auf zwölf Jahre herabgesetzt wird. Dann müssten auch Kinder damit rechnen, dass ihre Taten juristische Konsequenzen haben, zum Beispiel in Form von Verwarnungen, Verkehrs- und Verhaltensunterricht, ¹⁵Entschuldigung bei Geschädigten bis zu Wiedergutmachungsleistungen in der Freizeit und geschlossener Unterbringung.

b Worum geht es in dem Text? Fassen Sie kurz zusammen.

> *Es geht hier um folgendes Problem: …*
> *In dem Text wird die Problematik von … angesprochen.*
> *Dabei wird erwähnt, dass …*
> *Hier wird gefordert, dass …*

<u>3</u>   **Meinungen**

a Überfliegen Sie die Stellungnahmen verschiedener Personen. Wer ist positiv, wer ist negativ gegenüber der Forderung „Strafmündigkeit ab 12 Jahren" eingestellt?

A   ### Edith Bothur, Filialleiterin eines Schreibwarengeschäfts

Ich finde das richtig. Die Kriminalität unter Heranwachsenden beschränkt sich ja nicht mehr auf den Diebstahl von Bleistiften. Aber eine Verurteilung durch das Gericht reicht nicht – für ganz schwere Fälle muss auch eine Unterbringung in einem geschlossenen Heim infrage kommen. Vor Jahren habe ich selbst einen Jungen beim Ladendiebstahl erwischt. Der war so frech, dass mir die Hand ausgerutscht ist. Daraufhin sagte er: „Wenn ich dir im Dunkeln begegne, bringe ich dich um!" Der meinte das ernst.

B   ### Heinz Hilgers, Präsident des Kinderschutzbundes

Wer zwölfjährigen Kindern eine geschlossene Unterbringung zumutet, produziert das, was er verhindern will. Geschlossene Unterbringung ist pädagogisch absolut sinnlos und verschlimmert die Situation der Kinder. Für sie müssen die Jugendhilfe und die Schule Angebote unterbreiten, ihre Eltern brauchen Hilfe bei der Erziehung, z.B. müssen therapeutische Wohngemeinschaften angeboten werden. Straßensozialarbeit, spannende Freizeitangebote in den Stadtteilen, in denen sich Cliquen bilden, die Delikte begehen und folglich immer mehr in Schwierigkeiten geraten, sind notwendig. Die Kinder müssen Möglichkeiten zur Mitgestaltung haben, damit sie lernen, verantwortlich zu handeln.

C Jenny und Inga, Schülerinnen, beide 13 Jahre alt

Wir sind für die Senkung des Strafmündigkeitsalters. Wenn man bedenkt, wie viele Jugendliche unter 14 schon Diebstähle begehen, andere Menschen erpressen und verletzen, ist es notwendig, diese Jugendlichen für ihre Tat zur Verantwortung zu ziehen. Wichtig ist, dass die Strafen in Form von Erziehung stattfinden und den Tätern bewusst gemacht wird, dass sie mit ihren Taten zwar Aufsehen unter Mitschülern erregen, aber dass die Folge ihrer Tat die Strafe ist.

D Hans-Dieter Schwind, Professor für Kriminologie

Die 14-Jahres-Grenze ist erst 1923 bei uns eingeführt worden. Bis dahin galt die Zwölf-Jahres-Grenze. In Spanien beginnt die Strafmündigkeit bereits mit sechs Jahren, in England mit zehn Jahren. Dass es nach 1945 bei der 14-Jahres-Grenze blieb, hat mit entwicklungspsychologischen Gründen zu tun, die gut belegt sind. In diesem Rahmen wird bei uns heute sogar die Heraufsetzung auf 16 Jahre gefordert (Schweden: 15 Jahre). Das kam jedoch 1981 für die Justizminister der Länder als Lösung nicht in Betracht, weil dieses andere Extrem in der Bevölkerung keine Akzeptanz gefunden hätte. Man hat also mit den 14 Jahren einen Kompromiss geschlossen. Dabei sollte es bleiben.

b Sammeln Sie die Forderungen und Argumente.

	Forderungen	Argumente
Edith Bothur	Bestrafung von kriminellen Heranwachsenden	Delikte sind nicht mehr nur Ladendiebstahl
Heinz Hilgers		
Jenny und Inga		
Hans-Dieter Schwind		

GR 4 · **Nomen-Verb-Verbindungen**   GR S. 90

Ergänzen Sie zu den folgenden Nomen aus den vier Texten die Verben und ggf. die Präpositionen.

Präposition	Nomen	Verb
	Angebote	unterbreiten
	Delikte	
	Schwierigkeiten	
	Diebstähle	
	Verantwortung	
	Aufsehen	
	Betracht	
	Akzeptanz	
	einen Kompromiss	

GR 5 · **Umformung**

Ersetzen Sie die kursiven Ausdrücke durch Nomen-Verb-Verbindungen.

Wenn Jugendliche plötzlich *in schwierigen Situationen sind*, kann es passieren, dass sie *kriminell werden*. Die Gesellschaft *macht sie* für ihre Taten *verantwortlich*, auch wenn sie damit nur *auf sich aufmerksam machen* wollen. Manchmal *wird* den Jugendlichen dann *angeboten*, die Angelegenheit durch eine Wiedergutmachungsleistung oder Entschuldigung zu beenden. Für viele Menschen *ist* jedoch nur eine wirkliche Bestrafung jugendlicher Täter *sinnvoll*.

AB 77 · 8–12

SPRECHEN

P 1 Kurzvortrag

Schritt 1 Inhaltliche Vorbereitung

(a) Lesen Sie noch einmal den Text auf Seite 82 (Aufgabe 2).

(b) Informieren Sie sich im Internet oder in einer Bibliothek:
- Ab welchem Alter kommen Jugendliche in Ihrer Heimat vor Gericht?
- Wofür?
- Welche Strafen sind möglich?

Schritt 2 Stoffsammlung

- Welchen **Stellenwert** hat das Thema in Ihrer Heimat?
- Nennen Sie **Fälle**, von denen Sie gehört haben.

Stellenwert formulieren:
Das Thema ist bei uns zurzeit aktuell.
Über dieses Thema wird bei uns zurzeit lebhaft diskutiert.
Das Thema ist bei uns zurzeit nicht von Interesse.

Fallbeispiele nennen:
Bei uns gab es neulich einen interessanten Fall: ...
Neulich ging bei uns ein Fall durch die Presse: ...

Schritt 3 Argumente sammeln

- Schreiben Sie mindestens zwei Argumente für die aktuelle Rechtslage auf zwei Kärtchen.
- Schreiben Sie ein bis zwei Argumente von Gegnern auf zwei andere Kärtchen.
- Wie ist Ihre persönliche Meinung?

> Argumente
> für Strafmündigkeit
> ab 12 Jahren
> • • • • • •

> Immer mehr Kinder
> werden kriminell
> • • • • • •

Argumente für etwas formulieren
Für ... spricht, dass ...

Argumente gegen etwas formulieren
Gegen ... spricht, dass...

Eine persönliche Meinung formulieren
Ich persönlich bin dafür/dagegen, dass ...
Meines Erachtens ist es (nicht) richtig, wenn ...
Aus meiner Sicht ist es (vollkommen) richtig/falsch, dass ...

Schritt 4 Frei und strukturiert sprechen

(a) Setzen Sie sich in Dreiergruppen zusammen. Nacheinander spricht jeder circa drei Minuten zum Thema. Die anderen hören zu und machen Notizen. Achten Sie auf die Strukturierung und verwenden Sie Ihre Kärtchen.

(b) Stellen Sie die interessantesten Beispiele und Argumente aus Ihrer Gruppe im Plenum vor.

SCHREIBEN

1 Personen und Schauplatz in einem Krimi

Sehen Sie sich die Bilder unten an und beschreiben Sie die „Typen".
Wer könnten die „Täter" sein? Wo spielt der Krimi wohl?

2 Fragen zu einem Mini-Krimi

Setzen Sie sich zu zweit zusammen. Sehen Sie sich die Bilder
oben noch einmal an und lesen Sie die Fragen. Schreiben Sie
einen Mini-Krimi, in dem die folgenden Fragen beantwortet werden.

- ■ Was ist Ortwin Kellermaier für ein Mensch? Was ist er von Beruf?
- ■ Was ist Olaf Hartmann für ein Mensch? Was ist er von Beruf?
- ■ Was für ein Verbrechen planen die beiden?
- ■ Warum treffen sie sich im Spielsalon?
- ■ Wovor hat Ortwin Kellermaier Angst?
- ■ Welche Rolle spielt die Wirtin?

3 Schreibschule

Verwenden Sie beim Schreiben möglichst viele der folgenden Wörter.

aber – auch – allerdings – als – bevor – denn – deshalb – jedoch –
kurz darauf – nachdem – plötzlich – zufällig – wenige Minuten zuvor

AB 80 13

4 Lesen Sie Ihre Geschichte in der Klasse vor.

Die Zuhörer/innen notieren die Antworten auf die Fragen oben.

5 Original-Text

Lesen Sie nun im Arbeitsbuch die Geschichte, zu der die Fragen
gehören. Gibt es Ähnlichkeiten mit Ihren Geschichten?

AB 80 14

1   Lügen

ⓐ Was fällt Ihnen dazu spontan ein?

ⓑ Handelt es sich bei den folgenden Situationen um Lügen?

*Ich war wirklich rechtzeitig da.
Aber der Bus ist mir
vor der Nase weggefahren.*

*Ich wusste nicht, dass Sie
auch schon auf diesen Platz
gewartet haben.*

*Ich habe wirklich nicht viele
Süßigkeiten gegessen!*

2   Lesen Sie den folgenden Text einmal durch.

Schließen Sie das Buch und fassen Sie den Inhalt in zehn Sätzen auf
einem Blatt zusammen. Vergleichen Sie dann Ihre Zusammenfassung
mit der in Aufgabe 3.

Tatort Alltag: Die Lüge

*Kleine Lügen gehören zu unserem Alltag ganz
selbstverständlich dazu. Im Durchschnitt mogeln
wir sogar alle acht Minuten, und das aus den
unterschiedlichsten Gründen.*

5 „Du sollst nicht lügen" ist ein Gebot, das wir alle von
Kindesbeinen an verinnerlicht haben. Doch sogenannte kleine Lügen, wie „Ich muss heute doch länger arbeiten", oder scheinheilige Schmeicheleien, wie
„Das Kleid steht dir so gut", oder einfach Angeberei-
10 en, wie „Also heute habe ich meinem Chef endlich
mal die Meinung gesagt ...", sind für uns ganz selbstverständlich. Manchmal sind Lügen im sozialen
Leben schlicht notwendig, um schmerzhafte Konflikte zu vermeiden. Aber Lügen haben unterschiedliche
Qualitäten. Die moralische Grenze verläuft da, wo 15
man sich und anderen bewusst Schaden zufügt. Es
gibt viele Nachteile, die wir in Kauf nehmen müssten,
wenn wir immer die Wahrheit sagen würden. Menschen, die darauf schwören, immer ehrlich zu sein,
werden in der Regel als Menschen mit schlechtem 20
Benehmen angesehen, die kein sehr gutes Sozial-
verhalten haben.
An der Universität Heidelberg werden in gestellten
Gesprächen Gestik und Mimik untersucht. Kann man
einen Lügner durch genaue Beobachtungen entlar- 25
ven? Stimmt es, dass er sich an der Nase kratzt, dass

seine Augen flackern, dass er errötet? Die neuesten Ergebnisse sind verblüffend! Der Psychologe Professor Doktor Klaus Fiedler: „Die Vorstellung, dass einer mit
30 seinem Gesichtsausdruck, der Stimme oder irgendwelchen Bewegungen ausdrückt, dass er die Unwahrheit sagt, ist irreführend. Wir können das sehr gut kontrollieren. Man kann sogar sagen, dass die ersten zwanzig Jahre der Erziehung darin bestehen, dass wir lernen,
35 das zu kontrollieren."
Lügner brauchen vor allem Fantasie. Sie müssen sich hineinversetzen in den, den sie belügen, erkennen, was der andere hören will. Evolutionsbiologen meinen deshalb, die Fähigkeit zu lügen habe zur Entwicklung
40 der Intelligenz beigetragen. Als Erwachsener lernt man, in der Regel die Wahrheit zu sagen und nur zu lügen, wenn es für einen in einer bestimmten Situation nützlich ist. Denn nur wenn wir ehrlich sind, können wir uns gegenseitig auf das, was wir sagen,
45 verlassen.

Ein großer Nachteil der Lüge ist der Stress, den sie mit sich bringt. Eine Lüge zieht bekanntermaßen die nächste nach sich. Da ist die Gefahr groß, sich im Lügengeflecht zu verstricken. Mit dem Lügendetektor will man diesen Stress messen. Der Polygraf zeigt aber nicht 50 Lügen oder Wahrheit, sondern nur mehr oder weniger starke Erregung an: die elektrische Leitfähigkeit der Haut, den Herzschlag oder die Atmung. Der Polygraf zeichnet diese Erregungszustände des Körpers auf, die dem Betroffenen kaum bewusst sind. Die Aus- 55 sagefähigkeit der Ergebnisse hängt allein von der ausgeklügelten Fragestellung der Psychologen ab – und wie er die zitternden Kurven interpretiert. Anerkannt sind die Ergebnisse allerdings vor den meisten Gerichten dieser Welt nicht, da sie auf menschlicher Ein- 60 schätzung basieren.

P 3 Textzusammenfassung

Ergänzen Sie die Zusammenfassung des Textes. Verwenden Sie Wörter aus dem Text oder eigene Ausdrücke.

1. Lügen ist in der christlichen Tradition _____.
2. Trotzdem gehört Lügen zu unserem _____.
3. Allerdings handelt es sich dabei meistens um harmlose Notlügen oder Schmeiche-leien, die für unser soziales Zusammenleben _____ sind.
4. Ein Experiment hat gezeigt, dass man Lügner _____ an der Körpersprache erkennen kann.
5. Dazu funktioniert _____ des Menschen zu gut.
6. Forscher sehen im Lügen sogar eine _____ Eigenschaft.
7. Denn Lügen hat viel mit _____ zu tun.
8. Lügen sind aber für die Lügner nicht angenehm, denn sie verursachen _____ .
9. Diese Tatsache nutzt der _____ aus.
10. Er zeichnet körperliche _____ an der Haut, an Herzschlag und Atmung auf, die beim Lügen entstehen.

`AB 81` 15

GR 4 Satzbaupläne

ⓐ Ergänzen Sie die fehlenden Satzteile aus dem Text (Zeilen 36 ff. und 58 ff.).
ⓑ Was fällt Ihnen bei der Besetzung des Vorfelds bzw. Nachfelds auf?

Position 1 Vorfeld	Verb 1	Mittelfeld	Verb 2	Nachfeld
Sie	müssen	sich	hineinversetzen	
		die Ergebnisse allerdings vor den meisten Gerichten		

`AB 81` 16

HÖREN

___1___   Volksmund

„Lügen haben kurze Beine"

*„Wer dreimal lügt, dem glaubt man nicht,
und wenn er auch die Wahrheit spricht."*

a Welche „Moral" steckt hinter diesen Sprichwörtern?
b Wie finden Sie am besten heraus, ob jemand die Wahrheit sagt oder
nicht? Geben Sie einige Beispiele.

___2___   Beschreiben Sie die Personen auf dem Foto.

a Was wird hier wohl gemacht?
b Wie nennt man das Gerät, das hier eingesetzt wird, in Ihrer Muttersprache?

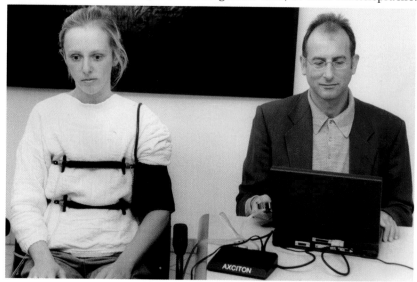

___3___   Lesen Sie dazu folgenden Auszug aus einem Zeitungsbericht.

a Wie beurteilen die meisten deutschen Juristen den Einsatz von „Lügendetektoren"?
b Welche Chance sieht der Journalist Dagobert Lindlau beim Einsatz solcher Geräte?

Wenn deutsche Juristen auf den Lügendetektor angesprochen werden, runzeln sie die Stirn und blicken skeptisch drein. Mit der automatisierten Wahrheitssuche wollen die meisten von ihnen nichts zu tun haben. Amerikanische Kollegen, die den Polygrafen ganz selbstverständlich als eines von vielen Instrumenten der Verteidigung einsetzen, dienen ihnen nicht als Vorbild. Das Gerät ist hierzulande zur Rechtsfindung verboten. Warum also darüber nachdenken? Der Münchner TV-Kriminalreporter Dagobert Lindlau ermunterte vor einigen Tagen in einer Magazinsendung zum Umdenken. „Der Lügendetektor soll nicht als Schuldbeweis eingeführt werden. Er soll einen fälschlich Verdächtigen schon in der Phase der polizeilichen Ermittlungen vom Verdacht befreien. Gerade der unterprivilegierte Verdächtige, der sich nicht herausreden und keinen teuren Anwalt bezahlen kann, hat es schwer, aus der Mühle der Justiz herauszukommen. Außerdem spart die Polizei dann Arbeit und Zeit und kann sich auf die Verfolgung der tatsächlichen Täter konzentrieren."

P **4**
CD | 29–32

Sie hören nun einen Radiobericht.

Sie hören den Bericht zweimal. Lesen Sie vor dem ersten Hören nur
die Fragen zu den Aufgaben und noch nicht die Sätze zum Ankreuzen.

Beim zweiten Mal hören Sie den Text in Abschnitten. Lesen Sie vor dem Hören eines
Abschnitts jeweils die Fragen und kreuzen Sie nach dem Hören die Antworten an.

Abschnitt 1 **a** Wo wurde ein Lügendetektor in Deutschland bereits eingesetzt?
- ☐ In einem Scheidungsverfahren.
- ☐ In einem Fall von Kindesmisshandlung.
- ☐ In einem Mordfall.

b Was unternahm der Familienrichter zur Lösung des Falles?
- ☐ Er schlug vor, den angeklagten Vater von einem Lügendetektor testen zu lassen.
- ☐ Er wollte den Vater dazu überreden, sein Kind nicht mehr zu sehen.
- ☐ Er glaubte dem Vater nicht und verurteilte ihn.

Abschnitt 2 **c** Wie funktioniert ein Lügendetektor?
Die getestete Person
- ☐ muss sich Anschuldigungen anhören und wird beobachtet.
- ☐ muss Fragen beantworten. Dabei wird der Ring um den Brustkorb beobachtet.
- ☐ beantwortet Fragen; dabei werden Körperreaktionen gemessen und ausgewertet.

d Welches Ergebnis zeigte sich im erwähnten Fall?
- ☐ Dass der Vater die Wahrheit gesagt hatte.
- ☐ Ein unklares.
- ☐ Dass der Vater gelogen hatte.

Abschnitt 3 **e** Was halten die Familienrichter vom Polygrafen?
- ☐ Sie sind sich einig, dass man ihn einsetzen sollte.
- ☐ Sie sind unterschiedlicher Meinung.
- ☐ Die meisten Familienrichter lehnen ihn ab.

f Wie sicher sind Lügendetektoren?
- ☐ Höchstens in 15% der Fälle gibt es falsche Resultate.
- ☐ 95% der Ergebnisse sind richtig.
- ☐ 75% der Ergebnisse erfordern weitere Tests.

Abschnitt 4 **g** Wann kommt ein Lügendetektor zum Einsatz?
- ☐ Immer auf Wunsch des Beschuldigten.
- ☐ Auf die Entscheidung eines Familienrichters hin.
- ☐ Auf Anordnung des Verfassungsgerichts.

h Was muss man vermeiden?
- ☐ Dass Schuldige mithilfe eines Lügendetektors freigesprochen werden.
- ☐ Dass die Geräte so häufig eingesetzt werden wie in den USA.
- ☐ Dass das Ergebnis eines Lügendetektortests der einzige Beweis vor Gericht ist.

AB 82 17–18

5 ### Diskutieren Sie in Kleingruppen.

Was darf ein Gericht alles zur Wahrheitsfindung einsetzen? Was nicht?
Wann wird die Würde des Menschen verletzt?
Führen Sie Beispiele an, die Ihre Argumentation unterstützen.

1 Struktur

ÜG S. 130, 198

Bei Nomen-Verb-Verbindungen trägt das Nomen die Hauptbedeutung.

Nomen im Akkusativ		Nomen mit Präposition	
ohne Artikel	mit Artikel	ohne Artikel	mit Artikel
Abschied nehmen	einen Diebstahl / ein Delikt begehen	zu Ende bringen	zum Ausdruck bringen
Abstand halten	die Möglichkeit haben	in Schwierigkeiten geraten	zur Kenntnis nehmen
Anklang finden	einen Kompromiss schließen	unter Druck stehen	im Irrtum sein
Aufsehen erregen	ein Angebot unterbreiten	in Kraft sein	zum Schluss kommen
Angst haben	ein Urteil fällen/sprechen		zur Verantwortung ziehen
Rücksicht nehmen			zur Verfügung stehen

2 Bedeutung

Das Verb bestimmt die Struktur des Ausdrucks, ansonsten hat es nur noch eine „Restbedeutung". Die wichtigsten Restbedeutungen sind z. B. Aktiv, Passiv, Beginn, Dauer oder Ende einer Handlung.

Häufig gibt es, vom Nomen abgeleitet, ein Verb, das der Bedeutung der Nomen-Verb-Verbindung entspricht.
Beispiel: *ein Angebot unterbreiten = anbieten*
Manchmal gibt es dabei auch Bedeutungsverschiebungen.
Beispiele: *in Verbindung treten – verbinden* (Nomen-Verb-Verbindung: speziellere Bedeutung)

Nomen-Verb-Verbindung	einfaches Verb	Nomen-Verb-Verbindung	einfaches Verb/Adjektiv
aktivische Bedeutung		**Bedeutung: Beginn/Ende der Handlung**	
zum Ausdruck bringen	ausdrücken	zur Vernunft gelangen	vernünftig werden
in Bewegung bringen	bewegen	zu der Überzeugung gelangen	langsam überzeugt sein
eine Antwort geben	antworten	in Abhängigkeit geraten	abhängig werden
sich Mühe geben	sich bemühen	in Bewegung geraten	sich zu bewegen beginnen
in Anspruch nehmen	beanspruchen	in Gefahr geraten	gefährdet werden
einen Antrag stellen	beantragen	in Wut geraten	wütend werden
Gebrauch machen	gebrauchen	in Angst versetzen	Angst machen
sich Gedanken machen	(nach)denken	in Erstaunen versetzen	erstaunen
passivische Bedeutung		**Bedeutung: Dauer einer Handlung**	
zum Ausdruck kommen	ausgedrückt werden	im Sterben liegen	gerade sterben
zur Sprache kommen	angesprochen werden	im Streit liegen	zerstritten sein
Beachtung finden	beachtet werden	in Betrieb sein	–
Unterstützung finden	unterstützt werden	in Kraft sein	–
unter Anklage stehen	angeklagt werden	in Gang halten	–
Anwendung finden	angewandt werden/ angewendet werden		

3 Verwendung

Nomen-Verb-Verbindungen werden hauptsächlich in schriftlichen Äußerungen verwandt, z. B. in den Bereichen Justiz, Politik, Verwaltung usw.

7

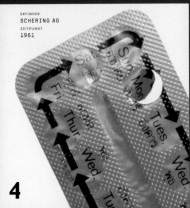

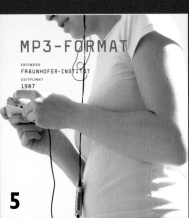

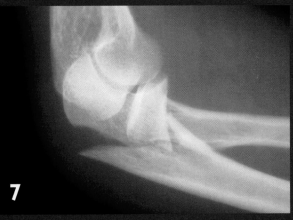

8

<u>1</u>   **Erfindungen, technischer Fortschritt**

Wie haben diese Erfindungen unser Leben verändert?
Welche wird uns in der Zukunft noch stark beeinflussen?

<u>2</u>   **Ordnen Sie diese Erfindungen zu.**

▪ Verkehr/Transport	▪ Unterhaltung/Freizeit
▪ Haushalt	▪ Informationstechnik
▪ Kommunikation	▪ Energieversorgung
▪ Medizin	

<u>1</u>　Welche Erfindungen sind in den folgenden Texten erklärt?

Ergänzen Sie die Informationen.

Wer? Erfinder/Erfinderin	Wann? Jahr	Was? Erfindung
	1885	
	1903	
	1908	
	1911	
	1941	
	1977	

Innovationen,
die unseren Alltag verändert haben

Über ihren Geschmack lässt sich streiten, über ihre Wirkung nicht. Ob Kräuter, Minze oder Sportgel, mindestens zweimal am Tag sorgt sie für erfrischende Hygiene im Mundraum. Verantwortlich für gesunde Zähne ist der
5　Apotheker Ottomar von Mayenburg. In einem kleinen Dachbodenlabor über der Dresdener Löwen-Apotheke experimentiert er 1907 mit Pulver, Mundwasser und ätherischen Ölen. Angereichert mit etwas Pfefferminze für den guten Geschmack füllt er sein Mittel in biegsame
10　Metalltuben ab. Auf der ersten internationalen Hygieneausstellung 1911 in München wird es mit einer Goldmedaille ausgezeichnet.

„Hält kalt, hält heiß – ohne Feuer, ohne Eis."
Mit diesem selbst kreierten Werbespruch
15　bringt der Glastechniker Reinhold Burger den zweifachen Nutzen seiner Erfindung auf den Punkt. Jahrelang beschäftigt er sich mit der isolierenden Wirkung doppelwandiger Glasgefäße. 1903 kommt sein Wissen zur
20　Anwendung: Der Eismaschinenfabrikant Carl von Linde benötigt isolierende Behälter. Burger verbessert daraufhin die Form der Gefäße und sorgt dafür, dass die Silberschicht zur Reflexion der Wärmestrahlung
25　nicht abblättert. Zum Schutz des Glasgefäßes versiegelt er seinen Behälter mit einem leichten Metallgehäuse.

Schon zu Beginn der Sechzigerjahre setzen große Finanzdienstleister alles auf eine Karte aus Plastik. Da aber weder Unterschrift noch Magnetstreifen den Sicher-
30　heitsansprüchen der bargeldlosen Zahlung entsprechen, wird bald der Ruf nach einer intelligenten Karte laut. Jürgen Dethloff und Helmut Gröttrup erweisen sich als hellhörig: 1968 reichen sie ein Patent für eine Karte mit integriertem Schaltkreis ein,
35　1985 wird die erste Karte mit einem Mikroprozessor vorgestellt.
40　Heute ist diese Erfindung aus unserem Alltag nicht mehr wegzudenken: Telefon-,
45　Kredit-, Scheck- und Patientendaten befinden sich in Plastik verpackt in unserer Brieftasche.

Unfreiwillige Hilfestellung bei der Suche nach einem reinen Kaffee-
50 genuss liefern die beiden Kinder der Erfinderin Melitta Bentz. Die
Mutter zweier Söhne zweckentfremdet im Jahre 1908 die Löschblät-
ter aus den Schulheften ihrer Kinder. Als Einlage in einem durch-
löcherten Messingtopf bieten sie Schutz vor ungeliebtem Kaffeesatz
in der Kaffeetasse. So entsteht das Grundprinzip des ersten Exem-
55 plars: Am 8. Juli 1908 erteilt das kaiserliche Patentamt zu Berlin
Gebrauchsmusterschutz für diese Erfindung.

Der Bauingenieur Konrad Zuse aus
Berlin hasst Mathematikaufgaben.
Deshalb beginnt er mit der Konstruk-
60 tion eines rein mechanischen Rechen-
automaten. Der Speicher des Z1
besteht aus Metallplättchen, die Stifte
in zwei verschiedene Positionen
schieben – auf Null und Eins. In der
65 Folgezeit gelingt ihm der Sprung zu
einem elektronischen Rechenwerk, Z3
genannt, das die vier Grundrechenar-
ten in drei Sekunden ausführt. Und,
oder, nicht: Mit diesen drei logischen
70 Schaltungen, und ausgestattet mit
2.600 Relais, kommt 1941 der erste
voll funktionstüchtige programmier-
bare Rechner zum Einsatz.

Heute sind 250 Kilometer pro Stunde auf zwei Rädern keine
75 Seltenheit, früher musste man sich mit 0,5 PS und einer
Geschwindigkeit von zwölf Kilometern pro Stunde begnü-
gen. Gemeinsam mit Wilhelm Maybach konstruiert Gottlieb
Daimler 1885 den Reitwagen. Betrieben wird das hölzerne
Gefährt von der sogenannten Standuhr – einer verkleinerten
80 Form des Viertaktmotors. Von Fahrkomfort kann zu diesem
Zeitpunkt noch keine Rede sein. Die Reifen sind aus Holz,
kleine Stützräder geben Halt. Immerhin ist der Reitwagen
mit einer Sitzheizung ausgestattet: Der unter dem Sattel
befindliche Auspuff wärmt zuverlässig das Hinterteil des
85 Fahrers. Der Reitwagen stellte einen wichtigen Schritt auf
dem Weg zu einer weltweiten Fahrzeugmotorisierung dar.

8

GR __2__ Verben/Adjektive/Nomen mit Präpositionen GR S. 102

a Unterstreichen Sie in den Texten die Präpositionen und suchen Sie die dazugehörigen
Adjektive/Verben/Nomen. Arbeiten Sie in Gruppen.

Präposition					
+ Dativ					+ Akkusativ
aus	mit	nach	von	vor	für
	experimentieren				sorgen

AB 86 2

b Welches Verb hat die Ergänzung „als" + Adjektiv, welches die Ergänzung
„über" + Adjektiv?

__3__ Nennen Sie eine Erfindung, die aus Ihrer Sicht besonders
wichtig war.

Beginnen Sie Ihre Präsentation so:

Wussten Sie schon, dass ... von ... erfunden wurde?

AB 86 3–4

SCHREIBEN

In Ihrer Kurszeitung soll es mehrere Seiten zum Thema
Innovationen, die jeder kennen sollte geben. Sie wollen dafür einen
Beitrag von mindestens 180 Wörtern Länge schreiben.

Schritt 1 ## Ein Thema auswählen

Sehen Sie die Bilder an. Über welche dieser Innovationen wissen
Sie etwas?

Schritt 2 ## Assoziationen sammeln

Sammeln Sie nun Stichworte zu den fünf Fragen.

1. Welches Produkt/Thema haben Sie ausgewählt und warum?
2. Wo und wie kommt es zum Einsatz?
3. Wie hat es das Leben der Menschen verändert? Geben Sie ein
   Beispiel aus Ihrem persönlichen Leben.
4. Welche Gefahren sind mit seinem Einsatz verbunden?
5. Wie wird der Umgang mit diesem Produkt in 25 Jahren wohl aussehen?

Schritt 3 ## Vom Stichwort zum Text

Ordnen Sie die folgenden Schritte und begründen Sie Ihre Reihenfolge.

	Schritt
a Ordnen Sie Ihre Stichworte, Assoziationen in sinnvolle Gruppen bzw. nach den bereits vorgegebenen Leitpunkten.	
b Überarbeiten Sie Ihren Text. Stellen Sie zum Beispiel einzelne Sätze oder Satzteile so um, dass der Text besser fließt.	
c Formulieren Sie die Stichpunkte aus. Schreiben Sie zunächst auf Konzeptpapier.	
d Kontrollieren Sie Ihren Text vor der Übertragung in die Reinschrift.	
e Sammeln Sie vor dem Ausformulieren zuerst auf einem Blatt Stichpunkte, Assoziationen usw., die Ihnen spontan zum Thema einfallen. Das kann auch in Ihrer Muttersprache geschehen.	

Schritt 4 ## Ausformulieren

Welche dieser Redemittel passen zu den fünf Fragen in Schritt 2? Nummerieren Sie.

☐ *Ich persönlich verwende/gebrauche ... zum Beispiel, wenn ich ...*
☐ *Der/Die/Das ... gehört ohne Zweifel zu den wichtigsten Innovationen des 20. Jahrhunderts.*
☐ *Doch das/die/der ... bringt nicht nur große Vorteile/Erleichterungen/Verbesserungen ...*
☐ *Es/Er/Sie bringt auch einige Gefahren mit sich. So kann es vorkommen, dass ...*
☐ *Ich bin ziemlich sicher, dass die/der/das ... auch in 25 Jahren noch einen Platz in unserem Alltag einnehmen wird. Allerdings wird sie/er/es wohl ...*
☐ *Ohne diese ... ist der Alltag zumindest bei uns hier in ... kaum noch vorstellbar.*
☐ *Vor der Einführung/Erfindung dieses Gerätes mussten wir ... Das ist seit der Erfindung vorbei.*
☐ *Wir gebrauchen es beinah täglich, wenn wir ...*

AB 87 5

WORTSCHATZ – *Wissenschaft*

1 Wortfelder

Ergänzen Sie Wörter aus
den Kurztexten auf
den Seiten 92–93.

2 Was studiert man an der Universität?

a Ordnen Sie zu.

Architekt	bau
Betriebs	ie
Bio/Psycho/Theo/Zoo	logie
Chem	matik
Elektro	ra
Infor	sik
Ju	sophie
Kunst	technik
Maschinen	wirtschaft
Mathe	wissenschaft
Medi	zie
Pharma	zin
Philo	geschichte
Phy	ur

Betonung:
Infor<u>ma</u>tik – Mathe<u>ma</u>tik

b Ordnen Sie die Studienfächer zu.

Naturwissenschaften	
Gesellschaftswissenschaften	
Geisteswissenschaften	
Ingenieurwissenschaften	

3 Tätigkeiten

a Ordnen Sie zu und bilden Sie Beispielsätze. Manchmal gibt es mehrere
Möglichkeiten. Beispiel: *Der Arzt verschreibt ein Medikament.*

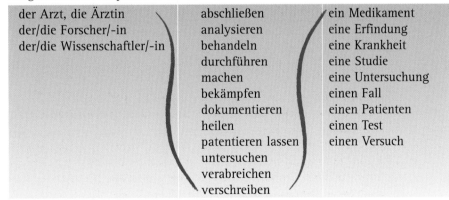

b Erweitern Sie nun schrittweise Ihre Beispielsätze.
*Der Arzt verschreibt dem Patienten ein Medikament. – Der Arzt verschreibt
dem Patienten ein sehr teures Medikament. – Der Arzt verschreibt dem
Patienten ein ganz neues und sehr teures Medikament namens Intellisan.*

AB 88 6–7

HÖREN

1
CD | 33

Eröffnungsrede zu einer Fachtagung.

Sie hören jetzt den Anfang einer Rede. Lösen Sie die Aufgabe zu Abschnitt 1.

Abschnitt 1 **a** Um was für eine Tagung handelt es sich?

☐ Um eine Tagung eines Pharmakonzerns.
☐ Um einen Fachkongress an der medizinischen Fakultät einer Universität.
☐ Um eine Jubiläumsveranstaltung eines Pharmakonzerns.

b Was für ein neuartiges Medikament könnte „Präparat X" sein? Spekulieren Sie.

c Womit macht der Redner deutlich, dass es sich um ein bedeutendes Medikament handelt?

2
CD | 34–35

Lesen Sie jetzt die Aufgaben zu Abschnitt 2 und 3.

Hören Sie dann die Rede zu Ende. Lösen Sie die Aufgaben.

Abschnitt 2 **a** Der Redner zitiert ein Sprichwort. Ergänzen Sie:
„Gegen .... kämpfen selbst .... vergebens."

b Worauf bezieht der Redner dieses Sprichwort?

c Von welchem Produkt spricht der Redner? Kreuzen Sie an.

Abschnitt 3 **d** Was ist die Wirkung dieses Medikaments?

e Wie wird die Rede beendet?
☐ Mit einer Danksagung.
☐ Mit einem Zitat.
☐ Mit einem Ausblick auf den nächsten Redebeitrag.

AB 89 8

3

Was meinen Sie?

Wird es so ein Medikament einmal geben?

P **4**
CD | 36

Hinweise zum Ablauf der Tagung

Lesen Sie die Angaben unten. Hören Sie dann die Hinweise
zum Ablauf der Tagung und füllen Sie die Tabelle aus.

	Wann?	Wo?
Mittagessen		
Forum 1		
Forum 2		in der Aula
Abendessen		
Abendveranstaltungen •„Die Kluge" •„Viel Lärm um nichts"		
Busabfahrt		

96

1   Thema der Rede

Sie sollen eine drei- bis fünfminütige Rede halten.
Wählen Sie aus den folgenden Themen aus.

Sie sind Vorsitzende/r der Internationalen Steinzeitpartei (ISP). Ihr oberstes Ziel ist es, die moderne Technik völlig abzuschaffen. Halten Sie eine Wahlkampfrede.	Sie sind Bürgermeister/in einer Stadt, die touristisch nichts zu bieten hat. Begrüßen Sie eine große Gruppe von Feriengästen.	Es ist erwiesen, dass Pflanzen, mit denen man spricht, besser gedeihen als solche, die man nicht beachtet. Halten Sie eine aufmunternde Rede an Ihre Zimmerpflanzen.	Im Gerichtssaal. Der Staatsanwalt hat in seinem Plädoyer gegen Sie gerade fünfzehn Jahre Haft wegen Schwarzfahrens gefordert. Als Angeklagter haben Sie das letzte Wort.

2   Vorbereitung

Schritt 1
Zielgruppe

ⓐ Für wen sprechen Sie? Welche Erwartungen haben die Zuhörenden?

Schritt 2
Ziel der Rede

ⓑ Um was für eine Art von Rede handelt es sich?
Beispiele: *Überzeugungsrede, Sachvortrag, Begrüßungsrede, Appell*

ⓒ Was möchten Sie mit der Rede erreichen?

Schritt 3
Stoffsammlung

ⓓ Sammeln Sie alles, was Ihnen zu dem Thema einfällt, ohne es zu ordnen oder zu bewerten.

ⓔ Schreiben Sie Ihre Ideen auf Kärtchen. Kennzeichnen Sie jede Karte mit einem Stichwort.

Schritt 4
Stoffauswahl

ⓕ Sortieren Sie Ihre Kärtchen. Welche Gedanken sind für Ihre Rede von Bedeutung, welche nicht?

ⓖ Ordnen Sie die wesentlichen Punkte und machen Sie eine Gliederung: Einleitung, Hauptteil, Schluss.

ⓗ Überlegen Sie sich passende Redemittel für jeden Gliederungspunkt.

3   Körpersprache

Sehen Sie sich die Bilder an. Welcher Redner nimmt eine passende Körperhaltung ein? Begründen Sie.

4   Vortrag: Tempo, Betonung

CD | 37–39

ⓐ Hören Sie einen Redner, der dreimal dieselbe Rede hält. Wo liegen die Unterschiede?

Rede	Tempo	Betonung
1	*langsam*	*wenig, langweilig*
2		
3		

ⓑ Welche Rede überzeugt Sie? Warum?

5   Halten Sie nun Ihre Rede vor der Klasse.

1 **Assoziationen und Hypothesen**

a Was erkennen Sie auf den beiden Fotos?

b Worum geht es wohl in dem anschließenden Artikel? Lesen Sie
nur die Überschrift des Zeitschriftenartikels. Ergänzen Sie
diesen Satz: *In diesem Text geht es wahrscheinlich um ...*

2 **Hypothesen überprüfen**

Lesen Sie nur den ersten Absatz. War Ihre Hypothese richtig oder
falsch? Bilden Sie eine neue Hypothese. Worum geht es im weiteren
Text wahrscheinlich?

❏ um die Entdeckung des Aspirins
❏ um die Gefahren des Heroins
❏ um den Forscher Felix Hoffmann

Felix Hoffmann

8

Hundewetter!
Bei Erkältungskrankheiten und
rheumatischen Beschwerden
ASPIRIN BAYER

Die Jahrhundert-Droge

Ein weißes Pulver erobert die Welt

Dies ist die Geschichte eines weißen Pulvers. Der Chemiker Felix Hoffmann entwickelte es am 10. Oktober 1897 in den Labors der Firma Bayer und 5 nannte es Aspirin. Doch die Chefs des Unternehmens hatten dafür nichts als ein Achselzucken übrig. Kein Wunder, denn sie waren gerade damit beschäftigt, die „Revolution der Hustenbekämpfung" zu feiern.

10 Das Mittel, das dem Aspirin den Rang ablief, hieß Diazetylmorphin. Bayer-Arzneichef Dreser erklärte 1898 auf einem Kongress vor deutschen Ärzten und Naturwissenschaftlern, die neue Substanz sei zehnmal wirksamer und erheblich ungiftiger als alle vergleichbaren Hustenmedikamente. Man habe sie auch schon bei anderen Krankhei- 15 ten getestet, diese Forschungen seien aber noch nicht abgeschlossen.

Diazetylmorphin kam übrigens nicht unter seinem komplizierten chemischen Namen auf den Markt. Man fand eine eingängigere Bezeichnung. Fabrikarbeiter von Bayer hatten es nämlich auf Anordnung der Firma probiert und ziemlich begeistert berichtet, sie fühlten 20 sich nach der Einnahme des Mittels geradezu heroisch. Das gefiel den Managern so gut, dass sie ihr neues Produkt Heroin nannten.

Allerdings bewährte sich dieses Heroin in der Hustenbekämpfung nicht sonderlich, sondern machte auf anderem Gebiet Kar- 25 riere. Und so kamen die Bayer-Bosse auf ihren Angestellten Hoffmann und dessen Erfindung zurück. Trotz größter Skepsis, ob sein Pulver überhaupt etwas 30 bewirke, brachten sie Aspirin im Januar des Jahres 1899 auf den deutschen Markt. Anwendungsgebiet: Kopfschmerzen.

So begann sie, die Geschichte der 35 erfolgreichsten Pille der Welt. Heute werden jedes Jahr weltweit rund 40 000 Tonnen verkauft. Es ist eine Medikamentengeschichte, die allein schon dadurch 40 aus dem Rahmen fällt, dass sich an der Zusammensetzung des

Aspirins fast hundert Jahre nach seiner Entwicklung nichts geändert hat. Seit ein paar Jahren steht fest, dass Aspirin auch der Name einer großen Zukunftsstory ist. Neue Studien dokumentieren immer wieder überraschende Erfolge, die manchmal fast an Wunder grenzen. Aspirin soll dem Herzinfarkt vorbeugen, sogar Magen- und Darmkrebs stoppen können.

Die Geschichte des Aspirins hat ihre Anfänge in einer finsteren, aufstrebenden Zeit. Die industrielle Revolution hatte Deutschland spät erfasst, aber nun war sie in vollem Gange. Eine Fabrik nach der anderen wurde gegründet. Kohle, Stahl, alles ließ sich zu Geld machen. Auch Farben waren ein Geschäft.

Einer der Pioniere dieser Branche war Friedrich Bayer. Der Zufall wollte es, dass zwei Ärzte im Jahr 1886 einem Patienten, der an hohem Fieber litt, durch eine Verwechslung Acetaniid verabreichten. Überraschenderweise bekam dem Mann das Mittel, ein Abfallstoff der Kohlenteerherstellung, ausgezeichnet. Das Fieber ging zurück, er wurde wieder gesund.

Als Carl Duisberg, der legendäre Bayer-Chef, davon erfuhr, schickte er seine Mitarbeiter hinaus auf den Fabrikhof. Dort lagerten in alten Fässern 30 000 Kilogramm Paranitrophenol, ein bis dahin wertloser Abfallstoff der Farbenproduktion. Duisberg wusste, Paranitrophenol hat eine ähnliche chemische Struktur wie Acetaniid. Aus dem Giftmüll ließ er das Medikament herstellen. Die Farbenindustrie hatte ihre Berufung zur Pharmaindustrie entdeckt.

Und Bayer boomte. 1891 beschäftigte das Unternehmen bereits neunzig hauptberufliche Chemiker und erwarb nördlich von Köln eine Fabrikanlage der Firma Dr. C. Leverkus Söhne. Die Labors waren primitiv, die Forscher arbeiteten unter abenteuerlichen Bedingungen. „In Korridoren, Waschräumen und einer aufgelassenen Schreinerei wurden Tische aufgestellt und übelriechende Versuche durchgeführt. Wer Glück hatte, dem stand ein Wasserabfluss zur Verfügung, die weniger Begünstigten arbeiteten draußen, im Nebel des Flusses. Sie trugen Holzschuhe, weil der schlammige Boden voll von harmlos aussehenden Pfützen war, in denen sich aber Lederschuhe wie Pappe auflösten."

So muss man ihn sich vorstellen, den Chemiker Felix Hoffmann, wie er an seinem Arbeitsplatz stand, die Jahrhundert-Droge Aspirin entwickelte und eine Wende in der modernen Heilkunde einleitete. An die Stelle überlieferter Arzneien von weitgehend unbekannten Zusammensetzungen trat ein chemisch präzise definierter, exakt dosierter und maschinell produzierter Wirkstoff.

Dabei war Hoffmann nicht der geniale Erfinder, dem der größte Wurf gelang, sondern nur der Verfahrenstechniker, der eine bekannte Rezeptur weiterentwickelte.

Wie das Medikament mit der Verkaufsbezeichnung Aspirin funktionierte und was man alles damit tun könnte, wusste damals noch niemand. Nur eines war schnell klar: Bayer hatte einen Erfolg gelandet. Wenige Wochen nach dem Start von Aspirin kamen von überall her Erfolgsmeldungen. Kopfschmerzen und Fieber hatten für viele Kranke ihren Schrecken verloren. Nebenwirkungen wurden nicht beobachtet. Aspirin hatte seinen Siegeszug begonnen.

3   Hauptinformationen entnehmen
Ergänzen Sie die folgende Zeittafel zum Text.

1886	Zwei Ärzte geben einem Fieberpatienten versehentlich Acetaniid. (Z. 55–56)
1891	
10. Oktober 1897	
1898	
1899	
heute	

LESEN 2

P **4**   Textzusammenfassung

Ergänzen Sie die Satzanfänge zu einer Textzusammenfassung.
Verwenden Sie Wörter aus dem Text oder eigene Ausdrücke.

Der Text berichtet über die Entdeckung ....

....

Das Mittel wurde ....

Zwei Ärzte hatten ....

Es wirkte ....

Daraufhin ließ der Chef der Firma Bayer ....

....

Doch erst sein Mitarbeiter ....

Zunächst kam es als Mittel ....

Heute setzt man es auch ....

5   Idiomatik

a Ergänzen Sie die idiomatischen Ausdrücke aus dem Text.

Zeile 7: das Achselzucken	*die Chefs hatten dafür nichts als ein Achselzucken übrig*
Zeile 10: der Rang	
Zeile 41: der Rahmen	
Zeile 54: der Zufall	
Zeile 83: die Wende	
Zeile 93: der Wurf	
Zeile 103: der Erfolg	
Zeile 108: der Schrecken	

b Erklären Sie die Bedeutung der Ausdrücke.

Beispiel

*Die Chefs zeigten, dass sie es nicht wichtig fanden / dass es in ihren
Augen nichts Besonderes war.*

AB 90 9–10

GR **6**   Präpositionen

GR S. 102

Unterstreichen Sie im Text die folgenden Präpositionen. Jede Gruppe übernimmt zwei Abschnitte. Ergänzen Sie die Tabelle durch Beispiele aus dem Text.

Präp.	Beispiel	Bedeutung	Kasus	Präp.	Beispiel	Bedeutung	Kasus
an	*am 10. Oktober*	temporal	Dat.	in		lokal	Dat
an		lokal	Dat./Akk.	nach		temporal	Dat.
auf		lokal	Dat./Akk.	seit		temporal	Dat.
aus		material	Dat.	unter		situativ	Dat.
durch		kausal	Akk.	vor		lokal	Dat..
in		temporal	Dat.	zu		Ziel	Dat.

AB 91 11–15

1 Wie denken Sie über diese beiden Frauen?

Warum dürften sie das in Deutschland nicht?

> Debbie V., 30, Amerikanerin, hat ihrer besten Freundin Stacey B. einen gewaltigen Gefallen getan: Sie brachte für die Freundin in Phönix Vierlinge zur Welt. Stacey und ihr Mann hatten 13 Jahre vergeblich auf Kinder gehofft. Schließlich erklärte sich Debbie bereit, die im Reagenzglas befruchteten Eier Staceys auszutragen. In Deutschland verbietet das 1990 verabschiedete Embryonenschutzgesetz Leihmutterschaften aus ethischen und rechtlichen Gründen.

2 Wissenschaftliche Verfahren?

Ordnen Sie den Begriffen jeweils die richtige Definition zu.

Begriff	Definition	1–5
Retortenbaby	*Ein Teil eines Menschen, z. B. ein Herz, wird einem anderen eingepflanzt, damit er weiterleben kann.*	
Gentechnisch erzeugte Medikamente	*Ein Baby wird außerhalb des Mutterleibs gezeugt und dann von der Mutter ausgetragen.*	
Klonen	*Eine Frau trägt für eine andere ein Kind aus. Oft erhält sie dafür Geld o. Ä.*	
Leihmutterschaft	*Wirkstoffe z. B. gegen Diabetes oder Rheuma werden aus gentechnisch veränderten Bakterien gewonnen.*	
Organ-transplantation	*Ein genetisch identisches Duplikat eines Lebewesens wird hergestellt.*	

AB 93 16–17

3 Vorbereitung einer Diskussion

a) Welche dieser Verfahren halten Sie für wünschenswert? Welche für gefährlich?

b) Bilden Sie eine Reihenfolge von „wünschenswert" (1) bis „gefährlich" (5).

4 Diskussion

Als Mitglieder einer Ethikkommission diskutieren Sie, welche der in Aufgabe 2 genannten Forschungen Sie erlauben und welche Sie verbieten. Einigen Sie sich.

5 Redemittel

Ordnen Sie den verschiedenen Intentionen links die Redemittel rechts zu.

1	Machen Sie einen Vorschlag.	A	*Das ist sicherlich ein stichhaltiges Argument, man muss allerdings auch bedenken, dass ...*
2	Begründen Sie Ihre Meinung.	B	*Bei der Beurteilung der Forschungen bin ich zu folgender Reihenfolge gekommen: ...*
3	Fragen Sie nach der Meinung Ihrer Gesprächspartner.	C	*Lassen Sie uns nun das Ergebnis festhalten: ...*
4	Reagieren Sie auf eine Äußerung.	D	*Was halten Sie von ...?*
5	Einigen Sie sich.	E	*Folgende Gründe sprechen meiner Meinung nach für ...*

AB 94 18

1   Vom gleichen Wortstamm kommende Wortarten haben meist die gleichen Präpositionen.

ÜG S. 64 ff.

Präposition	Verben	Adjektive, Partizipien	Nomen
für	*sich verantworten –* *sorgen für*	*verantwortlich für* *gesorgt sein für*	*die Verantwortung für* *die Sorge für*
mit	*sich beschäftigen mit*	*beschäftigt sein mit*	*die Beschäftigung mit*
über	*streiten über*	*zerstritten sein über*	*der Streit über*
um	*sich sorgen um*	*besorgt sein um*	*die Sorge um*
vor	*schützen vor*	*geschützt vor*	*der Schutz vor*

2   Eine Präposition kann unterschiedliche Bedeutungen haben.

Präposition	Beispiel	Bedeutung	Kasus
an	*Er stand an seinem / ging an seinen Arbeitsplatz.*	lokal, Position/Richtung	D/A
	Am Abend / Am 10.10.1897 stellte er Aspirin her.	vor Zeitangaben, beim Datum	Dat.
auf	*Sie arbeiten auf dem / gehen auf den Fabrikhof.*	lokal, Position/Richtung	D/A
	Wie heißt das auf Deutsch?	Angaben von Sprachen	Dat.
	Auf der Tagung diskutierten sie Fachthemen.	temporal, bei Ereignissen	Dat.
	Das Medikament ist auf Wochen ausverkauft.	temporal, Zeitdauer	Akk.
aus	*Der Chirurg kommt aus dem Operationssaal.*	lokal, Richtung, woher?	Dat.
	Aspirin wurde aus einem Abfallstoff gewonnen.	Material, Beschaffenheit	Dat.
	Aus Neugier unternahm er viele Experimente.	kausal, Ursache	Dat.
bei	*Die Fabrik lag in Leverkusen bei Köln.*	lokal, in der Nähe von	Dat.
	Bei der Herstellung des Mittels gibt es Probleme.	Gleichzeitigkeit oder Bedingung	Dat.
durch	*Durch eine Glasscheibe sah man das Experiment.*	Hindernis	Akk.
	Durch giftige Abwässer werden Menschen krank.	Ursache	Akk.
für	*Die Angestellten von Bayer tun alles für ihre Firma.*	Nutzen für jemanden	Akk.
	Für eine genaue Analyse fehlen uns noch die Daten.	Zweck	Akk.
	Man sucht einen Nachfolger für den Forscher.	Ersatz, anstelle von	Akk.
in	*Die Geräte stehen im Labor. / Er stellte sie ins Labor.*	lokal, Position/Richtung	D/A
	Im Sommer gibt es weniger Erkältungen.	Jahr(eszeit), Monat, Woche	Dat.
	In zehn Jahren ist die Gentechnologie viel weiter.	temporal, Zukunft, Zeitraum	Dat.
	Die neuen Labors sind in hellen Tönen gehalten.	Farben	Dat.
mit	*Mit einfachen Mitteln entwickelte Hoffmann das Aspirin.*	Hilfsmittel	Dat.
	Er arbeitete intensiv mit seinen Kollegen zusammen.	in Begleitung	Dat.
	Einige Erfindungen sind mit Vorsicht zu genießen.	Gefühl, Motiv, Umstand	Dat.
	Einstein bekam mit 42 Jahren den Nobelpreis für Physik.	Alter, in dem etwas passiert	Dat.
über	*Die Lampe hängt über dem Tisch. / Er hängt sie über den Tisch.*	lokal, Position/Richtung	D/A
	Sie reisten über Frankfurt und Köln nach Düsseldorf.	Stationen auf dem Weg	Akk.
	Die Experimente dauerten über vier Tage.	Überschreitung einer Grenze	Akk.
	Er wollte das Experiment übers Wochenende durchführen.	temporal, Zeitraum	Akk.
	Sie diskutierten über die Verantwortung für ihre Tat.	Thema, Bezugspunkt	Akk.
um	*Alle drängten sich um das neugeborene geklonte Schaf.*	lokal, um einen Punkt herum	Akk.
	Um 1900 gab es viele medizinische Neuheiten.	ungefähre Zeitangabe	Akk.
	Der Kongress der Wissenschaftler beginnt um 8 Uhr.	genaue Zeitangabe, Uhrzeit	Akk.
vor	*Der Computer steht vor dem Regal. / Er stellt ihn vor das Regal.*	lokal, Position/Richtung	D/A
	Vor Ende Mai kommt das Medikament auf den Markt.	temporal, Zeitpunkt	Dat.
	Der Erfinder sprang vor Freude in die Luft.	unkontrollierte Empfindungen	Dat.
zu	*Wenn man Beschwerden hat, sollte man zum Arzt gehen.*	Ziel	Dat.
	Manche Wissenschaftler arbeiten zu zweit oder zu dritt.	Gruppe	Dat.

8

KUNST

9

1   Beschreiben Sie die beiden Bilder.

> das Mosaik – das Ornament – das Porträt
> der Blumenteppich – die Darstellung – die Fläche – die Haltung –
> die Raumaufteilung

2   Vergleichen Sie die beiden Bilder.

    ⓐ Was verbindet sie?

    ⓑ Welches gefällt Ihnen besser? Warum?

3   Was ist wohl das Thema dieser beiden Bilder?

4   Über Kunst im eigenen Leben sprechen

    ⓐ Welche Bilder hängen bei Ihnen zu Hause an der Wand?

    ⓑ Wann waren Sie zuletzt in einer Kunstausstellung?

    ⓒ Wie wichtig ist Kunst in Ihrem Leben?

1 **Schauen Sie sich das Foto an.**
Beschreiben Sie den Maler Gustav Klimt.

2 **Überfliegen Sie den folgenden Text.**
Was wird darin geschildert? Sammeln Sie.

Klimts Atelier in Wien

Klimts Lebensumfeld blieb das biedermeierliche Atelier im Hinterhaus der Josefstädterstraße. Dort lebte er alleine mit seinen zahllosen Katzen. Dort besuchten ihn auch seine Freunde, wie der Fotograf
5 Moritz Nähr, dessen Aufnahmen von Haus und Garten erhalten geblieben sind, oder der junge Maler Egon Schiele[1], dessen väterlicher Freund und Förderer er war. Kurz nach Klimts Tod gab Egon Schiele eine Beschreibung des Ateliers, die zusammen mit den
10 Fotografien einen Eindruck von der Abgeschiedenheit des niedrigen Hauses hinter einer hohen Mauer in einem verwilderten Garten verschafft: „Es war in der Josefstädterstraße 21, in einem Garten – einem der alten, verborgenen Gärten, an denen gerade die Josef-
15 stadt noch so reich ist –, wo am Ende, von hohen Bäumen umschattet, ein niedriges mehrfenstriges Häuschen stand.

Zwischen Blumen und Efeu ging man hin. Das war die langjährige Werkstatt Klimts. – Durch
20 eine verglaste Tür kam man zuerst in einen Vorraum, wo aufgespannte Leinwandrahmen und sonstiges Malmaterial aufgestapelt waren, und daneben schlossen sich drei weitere Arbeitsräume an. Am Fußboden lagen Hunderte von Handzeichnungen umher. Klimt
25 trug stets einen blauen, bis an die Fersen reichenden, großfaltigen Kittel. So kam er entgegen, wenn an die Glastür Besucher und Modelle klopften." Bis der gesamte Häuserkomplex im Zuge der Stadterneuerung um 1912 abgerissen wurde, blieb Klimt in seiner
30 „Werkstatt", wie er sein Atelier selbst nannte.

Im Gegensatz zu Makart[2], der sein Atelier der Öffentlichkeit zugänglich gemacht hatte, schottete sich Klimt ab. Er ließ lediglich wenige Besucher ein.

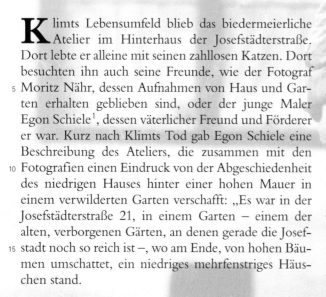

Zu Anfang waren das vor allem Familienmitglieder, aber schon seit den Neunzigerjahren zeichnete Klimt 35 seine Skizzen und Figurenstudien von Aktmodellen. Zu denen, die in die Josefstädterstraße kamen, gehörten auch Maria Ucicka und Maria Zimmermann, genannt „Mizzi". Sie waren die Mütter der Söhne, die Klimt zu Lebzeiten anerkannt hat: des späteren Film- 40 regisseurs Gustav Ucicky (1898-1961) sowie Gustav (1899-1978) und Otto Zimmermanns (1902-1903). Nach Klimts Tod wurden jedoch 14 Erbansprüche von verschiedenen Frauen geltend gemacht.

Von Maria Ucicka existiert nur eine gesicherte 45 Zeichnung. Mizzi Zimmermann hingegen hat ihm wahrscheinlich für seine zahlreichen Zeichnungen von Schwangeren sowie für das berühmtberüchtigte Gemälde „Hoffnung I", das eine unbekleidete schwangere Frau zeigt, Modell gestanden. 50 Mit Mizzi stand Klimt zumindest von 1899 bis 1903 in engem Kontakt. Doch abgesehen von diesen beiden Frauen fanden sich offensichtlich täglich Modelle in Klimts Atelier ein, die darauf warten mussten, ob der Maler sie zeichnen wollte. 1912 beschrieb der Schrift- 55 steller und Journalist Franz Servaes in der Zeitschrift „Der Merker" die Situation in Klimts Atelier folgendermaßen: „Hier war er von geheimnisvollen Frauenwesen umgeben, die, während er stumm vor seiner Staffelei stand, in seiner Werkstatt auf und nieder 60 wandelten, sich räkelten, faulenzten und in den Tag hinein blühten – stets auf den Wink des Meisters bereit, gehorsam stillzuhalten, sobald dieser eine Stellung, eine Bewegung erspähte, die in Form einer raschen Zeichnung festzuhalten seinen Schönheitssinn 65 reizte."

---

[1] Egon Schiele (1890-1918), bekannter österreichischer Maler des Expressionismus
[2] Hans Makart (1840-1889), österreichischer Historienmaler, fand in der Belle Époque besonders beim vermögenden Bürgertum Anklang

9

<u>3</u> ### Detailverstehen

Nennen Sie einige Details aus Klimts Leben. Welche finden Sie
gewöhnlich bzw. eher ungewöhnlich? Begründen Sie Ihre Meinung.

Details aus Klimts Leben	eher gewöhnlich	eher ungewöhnlich	Begründung
Dort lebte er allein mit seinen zahllosen Katzen.			
Freunde besuchten ihn. ...			

AB 98 2

<u>GR 4</u> ### Nähere Bestimmung eines Nomens

GR S. 115

a Ordnen Sie die Sätze aus dem Text den verschiedenen Formen der
näheren Bestimmung zu.

Textbeispiele	Formen der näheren Bestimmung
Atelier *im Hinterhaus*	mehrere Adjektive
Freunde *wie der Fotograf Moritz Nähr*	Relativsatz
*Mal*material	erweiterte Partizipien in Adjektivfunktion
eine Beschreibung des Ateliers, *die ... einen Eindruck ... verschafft*	Partizipialsatz
in einem Garten – *einem der alten, verborgenen Gärten*	Apposition im gleichen Fall
	präpositionale Angabe nach dem Nomen
wo am Ende, *von hohen Bäumen umschattet,* ein *niedriges mehrfenstriges* Häuschen stand	Vergleichssatz nach dem Nomen
einen blauen, *bis an die Fersen reichenden,* großfaltigen Kittel	Kompositum

b Suchen Sie im dritten und vierten Absatz des Textes weitere Beispiele,
in denen ein Nomen näher bestimmt wird. Ordnen Sie diese den verschiedenen Kategorien zu. Nicht für jede Kategorie gibt es ein Beispiel.

<u>GR 5</u> ### Bilden Sie Sätze.

Finden Sie möglichst viele Varianten der näheren Bestimmung für jeden Satz.
Beispiel: Maler – freizügiges Leben führen – provozieren – feine Wiener Gesellschaft

- *Der Maler führte ein freizügiges Leben, das die feine Wiener Gesellschaft provozierte.*
- *Der Maler führte ein freizügiges, die feine Wiener Gesellschaft provozierendes Leben.*

a Er – nur wenige Besucher – Familienangehörige – auch Modelle –
lassen – in sein Atelier

b Im Atelier – Frauen – geheimnisvoll – umherwandeln – Klimt – umgeben sein

c Er – stehen – stumm – vor der Staffelei – die Frauen – betrachten

AB 98 3–5

1 Baustile

CD | 40–41

a Ordnen Sie zu.

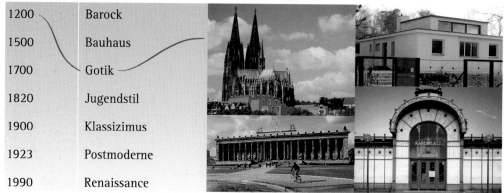

1200	Barock
1500	Bauhaus
1700	Gotik
1820	Jugendstil
1900	Klassizimus
1923	Postmoderne
1990	Renaissance

b Hören Sie Ausschnitte aus Stadtführungen. Welche der Gebäude oben werden erklärt? In welcher Reihenfolge?

c Suchen Sie ein Foto von einem Gebäude aus Ihrem Heimatland, das eine für Ihre Stadt typische Architektur zeigt. Suchen Sie dazu in einem deutschsprachigen Lexikon die Definition der Stilrichtung. Präsentieren Sie das Gebäude im Kurs.

2 Objekte beschreiben

a Welches dieser Objekte gefällt Ihnen? Warum?

b Beschreiben Sie diese Objekte genau nach Form, Farbe und Beschaffenheit. Verwenden Sie diese Adjektive:

eckig – geschwungen – ornamental – rechtwinklig/rechteckig – rund/gerundet – aus Holz – aus Stahl – aus Leder

`AB 99` 6

3 Kennen Sie folgende Begriffe?

Wählen Sie mit Ihrer Lernpartnerin / Ihrem Lernpartner jeweils fünf der folgenden Begriffe aus. Erklären oder definieren Sie, was man darunter versteht.

die Vogelperspektive – das Passepartout – der Schatten – die Raumperspektive – das Stillleben – die abstrakte Kunst – die optische Täuschung – die Plastik – die Froschperspektive – das Relief – die Aktzeichnung – der Rahmen – die Landschaftsmalerei – die Skulptur – die Karikatur – das Porträt – der Hintergrund – das Ornament – das Mosaik – die Kontur – die Farbigkeit – die Allegorie – der Naturalismus

Beispiel: *Man spricht von Vogelperspektive, wenn man etwas von hoch oben betrachtet. Das Gegenteil ist die ...*

`AB 99` 7–8

P **1**   **Etwas aushandeln**

Sie arbeiten bei einer Bürgerinitiative mit, bei der über den Bau eines
neuen Museums entschieden werden soll. Dazu liegen bereits vier
Vorschläge vor.

Forum der Technik

Zu sehen sind unter anderem
→ das erste Automobil,
→ chemische oder physikalische
   Experimente,
→ Demonstrationen zum Selbstbetätigen
   von Hand oder durch Knopfdruck.

Spielzeugmuseum

Gezeigt werden sollen
- Puppenhäuser aus fünf Jahrhunderten,
- Teddybären aus verschiedenen Epochen,
- Modellautos,
- erste Barbiepuppen.

Jagdmuseum

Zu sehen sind unter anderem
- Wildtiere, ausgestopfte (irischer Riesen-
  hirsch, Höhlenbär u.a.),
- alle einheimischen Süßwasserfische,
- Jagdwaffen aus vier Jahrhunderten,
- Gemälde und Grafiken mit Jagdmotiven.

Museum Mensch und Natur

Die Themenbereiche sind
→ die Geschichte der Erde und des Lebens,
→ die Vielfalt der Organismen,
→ der Mensch als Teil und Gestalter
   der Natur.
Die Abteilung „Spielerische Naturkunde"
soll besonders Kinder ansprechen.

Diskutieren Sie zu zweit, welches Museum Sie für besonders wichtig
und förderungswürdig halten.
- Machen Sie einen Vorschlag und begründen Sie ihn.
- Gehen Sie auch auf Äußerungen Ihres Gesprächspartners / Ihrer
  Gesprächspartnerin ein.
- Am Ende sollten Sie sich mit ihm/ihr auf einen Vorschlag einigen.

eine Diskussion eröffnen	*Heute wollen wir über folgende Frage diskutieren: ...* *In der heutigen Diskussion geht es um die Frage, ...*
das Wort ergreifen	*Dazu würde ich gern einige Sätze sagen/anbringen.* *Die Frage lässt sich nicht so einfach beantworten, ...*
eine Äußerung bekräftigen	*Sie haben völlig recht, wenn Sie sagen, ...* *Darin möchte ich Sie unterstützen, weil ...*
jemandem widersprechen	*In diesem Punkt kann ich Ihre Meinung nicht teilen, ...*
eine Frage offenlassen	*Vielleicht sollten wir diesen Punkt noch etwas zurück-stellen.* *Am besten kommen wir später noch einmal darauf zurück.*
ein Fazit ziehen	*Das Fazit der Diskussion könnte also lauten: ...* *Wir halten also fest, dass ...*

HÖREN

<u>1</u> **Drei Wiener Damen**

Sehen Sie sich die drei Porträts an.

(a) Wann lebten diese Damen wohl?

(b) Aus welcher sozialen Schicht stammen sie vermutlich und wie haben sie wohl gelebt?

(c) Welches Bild gefällt Ihnen am besten? Warum?

<u>2</u> **Bildbeschreibung**
CD|42

Die drei Damen heißen Serena Lederer, Emilie Flöge und Adele Bloch-Bauer. Hören Sie eine Beschreibung dieser drei Porträts. Schreiben Sie die Namen zu den Bildern.

....

P <u>3</u> **Genaues Hören**
CD|43–48

Hören Sie nun die ganze Rundfunksendung in Abschnitten. Lesen Sie die Fragen zu den Hauptinformationen, bevor Sie den dazugehörigen Abschnitt hören. Notieren Sie sich während des Hörens oder danach Stichpunkte.

		Notizen
Abschnitt 1 (a)	Wie nannte man die Künstlerorganisation, der Klimt angehörte?	*Wiener Sezession*
(b)	Wen bildete Klimt hauptsächlich in seinem Werk ab?	
Abschnitt 2 (c)	Wie malte er in seinen frühen Werken?	
(d)	Nennen Sie ein Merkmal der Darstellung Serena Lederers.	
Abschnitt 3 (e)	Wie verändern sich Klimts Frauenporträts?	
(f)	Was ist das Besondere am Porträt der Emilie Flöge?	
Abschnitt 4 (g)	Wodurch geht beim Bildnis der Adele Bloch-Bauer die räumliche Tiefe verloren?	
(h)	Wie sieht ihr Kleid, wie der Hintergrund aus?	
Abschnitt 5 (i)	Was geschieht mit Gesicht und Händen?	
(j)	Aus welcher Perspektive blicken die Frauen auf den Betrachter?	
Abschnitt 6 (k)	Was weiß man über Serena Lederer?	
(l)	Was erfährt man über Emilie Flöge?	

<u>4</u> **Textzusammenfassung**

Fassen Sie nun mithilfe Ihrer Notizen die Beschreibung eines der drei Bilder zusammen.

AB 100 9

LESEN 2

<u>1</u>   Der Weg zum Ruhm

ⓐ Haben Sie sich schon einmal einer besonders schwierigen Prüfung unterzogen? Woran erinnern Sie sich in diesem Zusammenhang?

ⓑ Das Foto zeigt eine Szene während der Aufnahmeprüfung an einer Schauspielschule. Wie wirken die Leute auf Sie?

ⓒ Welche Eigenschaften eines zukünftigen Schauspielers sollten Ihrer Meinung nach in einer Schauspielprüfung getestet werden? Sammeln Sie Stichpunkte. Beispiele: *Spontaneität, Persönlichkeit*

AB 101 10

<u>2</u>   Eine Reportage

Lesen Sie folgende Reportage über die Aufnahmeprüfung am Max-Reinhardt-Seminar, einer berühmten staatlichen Schauspielschule in Wien.

Die Prüfung

Wer dort ausgebildet wird, braucht sich um Engagements keine Sorgen zu machen. Die größte Hürde, um dorthin zu kommen: die Aufnahme-
5 **prüfung. Wir waren bei einer dabei.**

Der erste Tag
An einem Montagmorgen kurz nach acht Uhr beginnen sie, die gefürchte-
10 ten Aufnahmeprüfungen für das Max-Reinhardt-Seminar. Eine 14-köpfige Jury hat, sichtlich gut gelaunt, schon Platz genommen, alles erlauchte Herrschaften der Theaterszene, Halbgötter. Schließlich gilt es, die Stars von morgen
15 zu entdecken. Eine Woche lang, von früh bis spät, werden sie die Kandidaten und Kandidatinnen prüfen, und sie werden so lange sieben, bis die besten übrig bleiben.
20 „Die Nummer 1 bitte", ruft jemand ins Foyer, in die wartende Menge hinein. Es geht los! Erste Runde: Vorsprechen. Vier Texte hat man auswendig zu können. „Ich möchte mit der Eve von Kleist
25 beginnen", sagt die Nummer 1, ein jun-

ges Mädchen mit blonden Locken. Die Stimme zittert, es krümmt sich – getreu der Textvorlage – klagend am Boden, „Danke schön", sagt jemand von der
30 Jury. Noch ein zweiter Versuch – als „Medea" – wird ihr gewährt, das war's dann aber.

Hohe Anforderungen
Man braucht schon allerhand, um hier
35 aufgenommen zu werden. Zuerst einmal Talent und eine starke, ungebrochene Persönlichkeit. Dann Leidenschaft, Jugend und schließlich eine jetzt schon erkennbare Präsenz auf der Bühne. Alle,
40 die heute hier sind, alle sind sie vom Theaterspiel besessen und beseelt vom Glauben, sie hätten das Zeug dazu. Ohne diesen Glauben würde jetzt zum Beispiel die Nummer 15 nicht auf ihren
45 Auftritt warten. Die 22-jährige Slawistikstudentin aus Erlangen – schwarzes Haar, schwarze Augen, eine weiche Stimme – hat schon an sechs Schauspielschulen vorgesprochen. Nie ist was
50 daraus geworden. Trotzdem sagt sie:

„Ich bin überzeugt, Theaterspielen ist mein Ding. Ich kann das." Ihr Mund ist ganz trocken vor lauter Nervosität.

Da waren's nur noch ...
55 Nach zwei Tagen können 47 Bewerber und Bewerberinnen ihre Sachen packen. Nur 21 kommen in die zweite Runde, 14 Frauen und 7 Männer. Jetzt ist es nicht mehr schwer, die wirk-
60 lich Talentierten vom Mittelmaß zu unterscheiden. Glauben wir, die wir als stille Beobachter im Parkett sitzen, schließen Wetten ab: Auf jeden Fall wird es der Typ mit der Glatze schaffen, das
65 ist schon mal sonnenklar. Er kommt aus Zürich, sein Drei-Minuten-Auftritt als Franz Moor (aus Schillers „Räubern") war reif fürs Burgtheater. Oder diese atemberaubende weibliche Schönheit,
70 groß, blond, 20 Jahre alt. Jede Bewegung ist voller Eleganz und Grazie, ein Augenschmaus. Und wie sie die Lulu spielte! Einfach brillant. Am Abend des dritten Tages aber steht
75 sie nicht auf der Liste derer, die in die

109

9

letzte Runde kommen. Auch „Franz Moor", der Kahlkopf, ist durchgefallen. Basses Erstaunen. Warum nur? Wieso nimmt das Max-Reinhardt-Seminar sol-
80 che Talente nicht mit Handkuss? Bei den beiden war zwar vielleicht Talent da, wie wir später von einem Jury-Mitglied erfahren, aber es war „schon zu viel Putz drüber".

85 Frage der Persönlichkeit

Anders bei der Nummer 15, der Slawistikstudentin. Für ihre Szene aus dem Stück „Die Präsidentinnen" humpelte sie etwas plump auf die Bühne,
90 das eine Bein in Gips. Nach wenigen Augenblicken ist der Gipsfuß jedoch nicht mehr existent. Die Nummer 15 spielt. Sie rennt nicht hin und her, schmeißt nicht mit Stühlen um sich, wie
95 es einer ihrer Mitbewerber vorhin tat. „Persönlichkeit zu haben kann man nicht erlernen", sagte einst der große Regisseur Max Reinhardt. „Man kann es gewiss auch nicht vortäuschen."
100 Nummer 15 hat Persönlichkeit. Sie stach uns Laien bloß nicht in der ersten Runde schon ins Auge.
... da waren's nur noch elf. Sieben Frauen, vier Männer. Dritte Runde, vierter Tag.

105 Der Countdown läuft

Der Countdown für einen Platz an der Sonne läuft, denn wer ins Max-Reinhardt-Seminar aufgenommen wird, ist erst mal seine Sorgen los. Die vierjähri-
110 ge Ausbildung kostet keinen Pfennig. Die Ausstattung ist materiell wie personell exzellent, das Augenmerk gilt ganz allein der künstlerischen Qualität. Nur wenige Schüler und Schülerinnen wer-
115 den pro Jahr aufgenommen, mehr als ein Dutzend Professoren, Regisseure und Fachlehrer stehen zur Verfügung. Also zeigen sie, was ihre wahre Begabung ist. Können sie singen? Haben sie
120 Fantasie, wie viel künstlerisches Gespür steckt in jedem Einzelnen? Sind sie körperlich fit, haben sie Rhythmusgefühl?

Die letzten Hürden

Das alles wird sich noch heute heraus-
125 stellen. Drei Zigarrenkisten. Darin Papierschnipsel, auf denen ein Begriff steht. Die Nummer 68, ein junger Mann aus Deutschland, zieht zum Beispiel „Landkarte". Nun hat er 20 Minu-
130 ten Zeit, sich eine Szene auszudenken, in der dieses Wort eine Rolle spielt, und in der – ganz wichtig! – ein Stimmungsumschwung drin ist. Fantasie ist gefordert. Nervös geht er vor dem Raum auf
135 und ab: Als er schließlich aufgerufen wird, hat er ein Wüstendramolett zu bieten: Hat sich verirrt, ist am Verdursten, holt mit letzter Kraft seine (imaginäre) Landkarte aus dem Tornister
140 und stellt fest – er hat die falsche eingepackt. Und nun die Verzweiflung, ein Schreien, Toben, Heulen. „Stopp. Das ist Schmiere", sagt der Prüfer. Wer am Verdursten ist, macht nicht so ein Thea-
145 ter. Also, noch mal von vorn.
Die Kandidaten sind überall im ganzen Haus verstreut. Nummer 31, eine 20-jährige Wienerin, ist bei der Rollenarbeit. Schon vor einem Jahr hatte sie sich
150 hier beworben, damals vergebens. Gestern nun hat sie beim Vorsprechen die Jury einen Augenblick lang etwas irritiert: Da stand diese kraftvolle und liebenswerte Erscheinung am äußersten
155 Rand der Bühne und sagte: „Darf ich ein Bett haben?" Wie bitte? Das hat sich bis jetzt noch keiner zu fordern getraut. Ja, sagt sie, als Julia (von Shakespeare) brauche sie jetzt ein Bett. Schweigen,
160 schließlich aber wird dieses Möbel herbeigeschafft. Nummer 53, ein kleiner, drahtiger junger Mann aus Berlin, wird zum Gespräch gebeten. „Welche Theaterinszenierungen haben Ihnen in letz-
165 ter Zeit am besten und am wenigsten gefallen?" – „Was hätte das Max-Reinhardt-Seminar davon, wenn es Sie nähme?" „Was können Sie uns geben?" – „Ich glaube, Sie werden Freude an mir
170 haben, weil ich viel lernen will", sagte zum Beispiel die selbstbewusste „Julia" aus Wien. „Ich gebe Ihnen meine Ehrlichkeit", versprach die Kandidatin mit dem Gipsfuß. Das machte Eindruck.
175 Am Nachmittag geht es runter in den Gymnastiksaal. Musik an. Zuerst gehen. Schultern hoch, Arme hoch, mit dem Finger schnippen, Kopf hängen lassen, Wirbelsäule krümmen, gehen, beugen, strecken. Steif sind sie alle und
180 für ihr jugendliches Alter erstaunlich ungelenk. „Jetzt spielen die Männer die Aggressiven." Dann sind die Frauen dran, als Verführerinnen, und sollen den Jungs schöne Augen machen. Da
185 müssen plötzlich alle miteinander lachen. Nach einem Flirt ist im Moment niemandem zumute.

Warten auf die Entscheidung

Danach: Ende endlich! Es ist vollbracht.
190 Nun muss man nur noch warten. Warten, bis sich die Jury entschieden hat. Sie gehen in die nahe gelegene Pizzeria, würgen ein paar Bissen hinunter. „Was machst du jetzt?", fragt jede/r
195 jede/n und meint damit: wenn du nicht genommen wirst? Niemand wird aufgeben, jeder wird einen neuen Versuch bei einer anderen Schule machen.
Nach drei Stunden steht fest: Die
200 Gewinner sind – Nummer 31, die „Julia", und – Nummer 15, die Studentin aus Erlangen. Zwei Frauen also. Und kein Mann. Freudentränen bei den Siegerinnen, leichenblasse, enttäuschte
205 Gesichter bei den Verlierern. Von 69 Bewerbern nur zwei, die es geschafft haben. „Und kein Genie übersehen?", fragen wir zum Abschluss den Leiter des Max-Reinhardt-Seminars. „Nein", ant-
210 wortet er, und es klingt ziemlich überzeugt.
Wir sind es auch.

110

3 Globalverstehen

a Welche Stationen gehören zur Aufnahmeprüfung? Kreuzen Sie an.

☐ zu einem ausgelosten Begriff etwas improvisieren
☐ nach auswendig gelernten Textvorlagen etwas vorspielen
☐ zu Playback etwas vorsingen
☐ Fragen zu sich selbst und zum Theater beantworten
☐ kleine Choreografien zu Rhythmik und Bewegung einstudieren
☐ den Inhalt klassischer Theaterstücke wiedergeben

b Bringen Sie die zutreffenden Stationen in die richtige Reihenfolge.
Beginnen Sie so: *Zunächst müssen die Kandidaten ...*

4 Detailverstehen

Lesen Sie den Text noch einmal genau und notieren Sie Informationen
zu den Kandidaten.

Kandidat	Beschreibung	Prüfungsaufgabe	Besonderheit
1	*junges Mädchen mit blonden Locken*		
15			
68			
31			
53			

P 5 Textzusammenfassung

Ergänzen Sie die folgende Zusammenfassung des Textes. Verwenden
Sie Wörter aus dem Text oder eigene Ausdrücke.

69 junge Frauen und Männer unterziehen sich in diesem Jahr der
(1) *Aufnahmeprüfung* am Max-Reinhardt-Seminar in Wien. Sie werden in den nächsten Stunden und Tagen von einer (2) ....
beurteilt, der sehr berühmte Persönlichkeiten der Theaterszene angehören. Zunächst müssen die Prüflinge einen auswendig gelernten Text
(3) .... Bereits die erste Kandidatin (4) .... Die wichtigsten Eigenschaften für einen künftigen Schauspieler sind nämlich
(5) .... und eine starke Persönlichkeit. Wer bis zum Ende
durchhält und ins Max-Reinhardt-Seminar aufgenommen wird, erhält
dort eine (6) .... von ausgezeichneter Qualität. In weiteren
Prüfungsteilen wird die Vielseitigkeit der Bewerber unter die Lupe
genommen. Dabei sollen die Kandidaten sich beispielsweise zu einem
Begriff wie etwa „Wüste" etwas (7) ...., auf die Fragen eines
Gremiums antworten und zeigen, dass sie sich auch rhythmisch
(8) .... können. Nach mehreren Tagen unglaublicher
Anspannung sind alle (9) .... und warten gespannt auf die
Entscheidung der Jury. Zwei Frauen sind diesmal die glücklichen Gewinner. Die (10) .... der anderen Kandidaten ist deutlich zu
sehen.

6 Ihre Meinung

Stellen Sie sich vor, Sie würden sich für eine Ausbildung am Max-Reinhardt-Seminar interessieren. Würde Sie die Reportage eher ermutigen oder entmutigen? Warum?

AB 102 | 11–13

1 **Lesen Sie die folgende E-Mail.**

Sie erhalten einen Brief von einer deutschen Freundin.

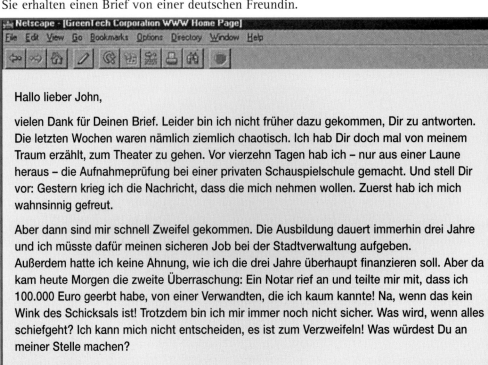

Netscape - [GreenTech Corporation WWW Home Page]

File Edit View Go Bookmarks Options Directory Window Help

Hallo lieber John,

vielen Dank für Deinen Brief. Leider bin ich nicht früher dazu gekommen, Dir zu antworten. Die letzten Wochen waren nämlich ziemlich chaotisch. Ich hab Dir doch mal von meinem Traum erzählt, zum Theater zu gehen. Vor vierzehn Tagen hab ich – nur aus einer Laune heraus – die Aufnahmeprüfung bei einer privaten Schauspielschule gemacht. Und stell Dir vor: Gestern krieg ich die Nachricht, dass die mich nehmen wollen. Zuerst hab ich mich wahnsinnig gefreut.

Aber dann sind mir schnell Zweifel gekommen. Die Ausbildung dauert immerhin drei Jahre und ich müsste dafür meinen sicheren Job bei der Stadtverwaltung aufgeben.
Außerdem hatte ich keine Ahnung, wie ich die drei Jahre überhaupt finanzieren soll. Aber da kam heute Morgen die zweite Überraschung: Ein Notar rief an und teilte mir mit, dass ich 100.000 Euro geerbt habe, von einer Verwandten, die ich kaum kannte! Na, wenn das kein Wink des Schicksals ist! Trotzdem bin ich mir immer noch nicht sicher. Was wird, wenn alles schiefgeht? Ich kann mich nicht entscheiden, es ist zum Verzweifeln! Was würdest Du an meiner Stelle machen?

Lass bitte ganz bald was von Dir hören!

Deine Johanna

2 **Textstruktur**

Unterstreichen Sie die Satzanfänge im Brief oben.
Wie oft beginnt ein Satz mit dem Subjekt bzw. der Nominativ-
ergänzung? Mit welchen Satzteilen beginnen die anderen Sätze?
Geben Sie mehrere Beispiele.
Beispiele: *Leider bin ich nicht ... = modale Angabe*
Vor vierzehn Tagen hab ich ... = temporale Angabe

3 **Antwort**

Schreiben Sie Ihrer Freundin nun einen Antwortbrief von mindestens
180 Wörtern. Beachten Sie die für einen persönlichen Brief typischen
Merkmale und verbinden Sie die Sätze im Brief durch unterschiedliche,
variationsreiche Satzanfänge. Gehen Sie auf folgende Punkte ein:

- Bedanken Sie sich für den Brief.
- Drücken Sie Ihre Überraschung über Johannas schauspielerische
  Ambitionen aus.
- Zeigen Sie Verständnis für ihren Wunsch, Schauspielerin zu werden.
- Teilen Sie ihr aber auch Ihre Zweifel in Bezug auf eine mögliche
  Schauspielkarriere mit.
- Schlagen Sie ihr ein baldiges Treffen vor, bei dem alles noch einmal
  besprochen werden könnte.

__1__ ## Erste Orientierung

Die beiden Fotos gehören zu zwei Stücken des deutschsprachigen Theaters.

a Welches der beiden Fotos spricht Sie spontan mehr an?

b Worum könnte es in dem einen, worum in dem anderen Stück gehen?

__2__ ## Bildbeschreibung

a Ordnen Sie zuerst die Redemittel.

objektive Beschreibung	Einschätzung des Betrachters
Auf dem ersten Foto sieht man ...	*Wahrscheinlich sind die gerade ...*

Auf dem ersten Foto sieht man ... *Sicherlich ... das Stück ...*
Die Männer stehen ... *Das andere Foto zeigt ...*
Gekleidet sind sie mit ... *Hier erkennt man Männer, die ...*
Wahrscheinlich sind sie gerade ... *Es scheint ein ...*
Das dürfte in ... sein / spielen, weil ... *Ich nehme an, dass die Schauspieler ...*

b Beschreiben Sie die beiden Bilder. Achten Sie dabei auf die Kleidung und Ausrüstung und die Haltung der Männer.
Äußern Sie Vermutungen über die Situation, in der sie gerade sein könnten.

9

3
CD | 49–50

Beispiel

Hören Sie nun, wie zwei verschiedene Personen – Astrid und Peter –
diese Aufgabe gelöst haben, und urteilen Sie: Was haben Astrid und
Peter besonders gut gemacht und was weniger gut?

Kriterium	Bewertung Astrid	Bewertung Peter
Aussprache		*besonders gut*
Inhalt		
Flüssiger Ausdruck		
Wortschatz		
Grammatik		

GR **4**

Vermutungen und Folgerungen

GR S. 116

ⓐ Sehen Sie sich die folgenden Sätze zu dem unteren Bild auf Seite 113 an.
Ergänzen Sie die Sätze in der rechten Spalte.

Adverbialer Ausdruck	Ausdruck mit Modalverb
Alle Männer tragen Rüstungen aus Leder und Metall. Sicherlich/Höchstwahrscheinlich handelt es sich um Soldaten.	Es muss sich um Soldaten oder Kämpfer handeln.
Man erkennt Helme, Speere, Schilde usw. Es ist möglich, dass es sich um Germanen handelt.	Es könnten ...
Vermutlich sind es Männer, die auf einen Kampf warten.	Es dürften ...
Es ist nicht unbedingt notwendig, dass das Stück gewalttätig ist.	Das Stück muss nicht / braucht nicht unbedingt ...
Der Fotograf hat sein Bild unter Umständen ernst gemeint, doch heute wirkt es befremdend.	Er mag ...
Die Landschaft im Hintergrund ist keinesfalls / offenbar nicht echt, sondern eine Attrappe.	Die Landschaft im Hintergrund kann nicht echt sein. Sie sieht aus wie eine Attrappe.
Möglicherweise haben sie gar keine Erfahrung im Umgang mit Waffen. Sie tragen sie nur für das Foto.	Sie müssen gar keine Erfahrung im Umgang mit Waffen haben. Sie tragen sie nur für das Foto.
Angeblich war das Publikum von dem Stück ganz begeistert, aber das lässt sich heute nicht mehr überprüfen.	Das Publikum soll von dem Stück ganz begeistert gewesen sein, aber das lässt sich heute nicht mehr überprüfen.

ⓑ Formulieren Sie diese Vermutungen und Folgerungen zum oberen Bild
auf Seite 113 mit Modalverben.

*Wahrscheinlich machen die Männer auf dem Bild gymnastische
Übungen. Es wäre aber auch möglich, dass sie gegen eine weitere Reihe
von Männern kämpfen. Vermutlich macht ihnen die Sache keinen Spaß.
Die dargestellte Situation ist möglicherweise ein Trainingslager, das
ist aber nicht sicher. Vielleicht handelt es sich aber auch um einen
modernen Managerkurs. Auf keinen Fall verherrlicht das Theaterstück
die aggressive Haltung der Männer, dazu wirken sie in ihrer „Unterwäsche" mit Straßenschuhen zu lächerlich.*

AB 103 14–16

114

1 Die Attribution – Formen der näheren Bestimmung des Nomens

a Attribute links vom Nomen ÜG S. 20ff., 44

Attribution	Beispiel
Adjektiv	*ein revolutionärer, gesellschaftskritischer Künstler*
Partizip in Adjektivfunktion	*ein in der Vorstadt liegendes Atelier* *ein von der Akademie angefeindeter Maler*
Kompositum	*ein Blumenmotiv, das Aquarellbild*

b Attribute rechts vom Nomen ÜG S. 154ff.

Attribution	Beispiel
Relativsatz	*Ferdinand Laufenberger, der ein wichtiger Repräsentant einer dekorativ ausgerichteten Malerei in Wien war, wurde Klimts Lehrer.* *Klimt eröffnete ein Atelier, wo er gemeinsam mit seinem Bruder Ernst und mit Franz Matsch arbeitete.*
Apposition	*Emilie Flöge, zeitweise die engste Vertraute des Malers, betrieb in Wien einen Modesalon.* *Gustav Klimt hatte drei Kinder zu Lebzeiten anerkannt, den späteren Filmregisseur Gustav Ucicky und die Brüder Gustav und Otto Zimmermann.*
präpositionale Angabe	*das Atelier im Hinterhaus* *die Krise am Ende seines Lebens*
Vergleichssatz	*Landschaftsmotive wie Schloss Kammer am Attersee*

c Attribute links oder rechts vom Nomen

Attribution	Beispiel
Partizipialsatz – links vom Nomen	*Von der Öffentlichkeit heftig kritisiert, verließ Klimt die Künstlervereinigung.*
Partizipialsatz – rechts vom Nomen	*Klimt, die Zurückgezogenheit und neue Motive suchend, verbrachte jedes Jahr mehrere Monate am Attersee.*

9

2 Bedeutung der Modalverben im „subjektiven" Gebrauch

ÜG S. 98 ff.

Modalverb 3. Person Singular	Beispiel	Grad der Wahrscheinlichkeit	Bedeutung
muss	*Das Stück muss schon vor mehr als 50 Jahren aufgeführt worden sein.*	völlig sicher	Das Stück wurde sicher schon vor mehr als 50 Jahren aufgeführt.
kann nicht	*Es kann nicht aus der Nachkriegszeit sein.*		Es ist unmöglich aus der Nachkriegszeit.
müsste	*Es müsste eigentlich mehr Fotos von dieser Aufführung geben.*	sehr wahrscheinlich	Es ist anzunehmen, dass es noch mehr Fotos von dieser Aufführung gibt.
dürfte	*Hier dürfte es sich um eine Szene zur Vorbereitung eines Kampfes handeln.*	wahrscheinlich	Wahrscheinlich handelt es sich um eine Szene zur Vorbereitung eines Kampfes.
könnte (kann)	*Es könnte (kann) dabei aber auch um einen Friedensschluss zwischen zwei Rivalen gehen.*	gut möglich	Möglicherweise geht es aber auch um einen Friedensschluss zwischen zwei Rivalen.
mag	*Man mag die Schauspieler früher für ausgezeichnet gehalten haben, heute würde man ihren Ausdruck übertrieben nennen.*	eventuell möglich	Es ist möglich, dass man die Schauspieler früher für ausgezeichnet gehalten hat, heute würde man ihren Ausdruck übertrieben nennen.
soll	*Der dritte Schauspieler von links soll häufig Wutanfälle bekommen haben, wenn eine Szene nicht auf Anhieb klappte.*	Wahrscheinlichkeitsgrad unbekannt	Man sagt, dass der dritte Schauspieler von links häufig Wutanfälle bekam, wenn eine Szene nicht auf Anhieb klappte.
will	*Der Regisseur will der bedeutendste deutschsprachige Regisseur gewesen sein.*	eher unwahrscheinlich	Der Regisseur behauptet von sich, der bedeutendste deutschsprachige Regisseur gewesen zu sein, aber das glaubt ihm keiner.

3 Modalverben: Grundbedeutung versus subjektive Bedeutung

Eine klare Unterscheidung zwischen einem Modalverb in der Grundbedeutung und einem in „subjektiver" Bedeutung lässt sich in den Perfektformen treffen. Bei Modalverben in subjektiver Bedeutung gibt es keine Präteritumform.

Perfekt	
Grundbedeutung Form von *haben* + Verb + Modalverb (beide Infinitiv)	subjektive Bedeutung Form des Modalverbs + Partizip II + *haben* oder *sein*
Der Regisseur hat die Rolle neu besetzen müssen. (Er hatte keine andere Möglichkeit.)	Der Regisseur muss die Rolle neu besetzt haben. (Der Hauptdarsteller sieht jetzt ganz anders aus.)
Der Schauspieler hat immer schon an großen Theatern spielen wollen. (Er hatte immer schon den Wunsch.)	Der Schauspieler will immer an großen Theatern gespielt haben. (Er behauptet, das immer getan zu haben.)

10

 1 Woher stammen die Sachen, die auf dem Foto zu sehen sind?
Wo wurden sie hergestellt?

 2 Woher stammt die Kleidung, die Sie gerade tragen?

 3 Was bedeutet das für
ⓐ die Konsumenten?
ⓑ die herstellenden Firmen?

1
CD|51

Globales Verstehen

Sie hören jetzt einen Textausschnitt. Worum geht es in diesem Text?
Wo sehen Sie eine Beziehung zu den Fotos auf der vorhergehenden Seite?

2
CD|52–56

Hauptaussagen sortieren

Hören Sie den Rest der Reportage. Nummerieren Sie die Reihenfolge
dieser Stichworte im gehörten Text.

- ☐ Argumente der Befürworter
- ☐ Auswirkungen der Globalisierung auf den Alltag
- ☐1 Hoffnungsträger oder Schreckgespenst?
- ☐ Entstehung neuer Werte
- ☐ Entstehung des weltweiten Protestes
- ☐ Die aus verschiedenen Gruppen zusammengesetzte Protestbewegung

3
CD|51–56

Detailinformationen entnehmen

Hören Sie die Sendung nun in Abschnitten noch einmal.
Beantworten Sie während des Hörens oder danach die folgenden Fragen.

Abschnitt 1

Chance oder Risiko?

Notieren Sie die beiden entgegengesetzten Standpunkte zur Globalisierung.

positiv: *Hoffnungsträger,* _____

negativ: *Schreckgespenst,* _____

Abschnitt 2

Ergänzen Sie die Argumente der Befürworter.

Globalisierung schafft Wohlstand für _____

Produziert wird da, wo es _____

Jeder produziert das, was er _____

Wachstum bietet die Basis für _____

Kriege werden _____

Abschnitt 3

Wovor haben die Protestierer Angst?

_____

Abschnitt 4

Wie haben sich die folgenden wirtschaftlichen Eckdaten entwickelt?

Lebensstandard _____

Güterproduktion _____

Exporte _____

Abschnitt 5

Protestbewegungen

Was lehnen Globalisierungsgegner ab?

_____

Was passiert auf Welt-Sozialforen?

_____

Abschnitt 6

Nennen Sie ein Beispiel für die neuen Werte der „kulturell Kreativen".

_____

AB 108 2–4

SPRECHEN

1 Globales Verstehen

Suchen Sie aus dem Schaubild die übergeordneten Punkte heraus.

(a) *Akteure der Globalisierung*

(b) _____

(c) _____

2 Stellungnahme vorbereiten

(a) Ordnen Sie die Folgen der Globalisierung. Welche sind positiv, welche negativ? Ergänzen Sie eventuell diese Liste.

Positive Folgen

Negative Folgen

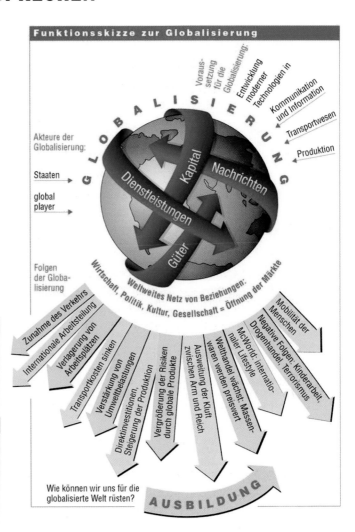

Funktionsskizze zur Globalisierung

GLOBALISIERUNG

Voraussetzung für die Globalisierung: Entwicklung moderner Technologien in Kommunikation und Information, Transportwesen, Produktion

Akteure der Globalisierung:
Staaten →
global player →

Dienstleistungen · Kapital · Nachrichten · Güter

Folgen der Globalisierung

Weltweites Netz von Beziehungen: Wirtschaft, Politik, Kultur, Gesellschaft = Öffnung der Märkte

Zunahme des Verkehrs · Internationale Arbeitsteilung · Verlagerung von Arbeitsplätzen · Transportkosten sinken · Verstärkung von Umweltbelastungen · Direktinvestitionen, Steigerung der Produktion · Vergrößerung der Risiken durch globale Produkte · Ausweitung der Kluft zwischen Arm und Reich · Welthandel wächst, Massenwaren werden preiswert · McWorld: internationaler Lifestyle · Negative Folgen: Kinderarbeit, Drogenhandel, Terrorismus · Mobilität der Menschen

Wie können wir uns für die globalisierte Welt rüsten?

AUSBILDUNG

(b) Greifen Sie einen Aspekt heraus und erklären Sie ihn mit einem Beispiel aus Ihrem Heimatland oder aus Ihrer Erfahrung.

AB 111 5

3 Diskussion

Bilden Sie eine Gruppe der „Befürworter" und eine Gruppe der „Gegner". Führen Sie ein Streitgespräch.

eine Diskussion eröffnen	*Heute wollen wir über folgende Frage diskutieren: ...* *In der heutigen Diskussion geht es um die Frage, ...*
das Wort ergreifen	*Dazu würde ich gern einige Sätze sagen/anbringen.* *Die Frage lässt sich nicht so einfach beantworten, ...*
eine Äußerung bekräftigen	*Sie haben völlig recht, wenn Sie sagen, ...* *Darin möchte ich Sie unterstützen, weil ...*
jemandem widersprechen	*In diesem Punkt kann ich Ihre Meinung nicht teilen, ...*
ein Fazit ziehen	*Das Fazit der Diskussion könnte lauten: ...* *Wir halten also fest, dass ...*

10

119

___1___ **Berichten Sie: Wo lebt Ihre Familie?**

     ⓐ Seit wann lebt sie dort?

     ⓑ Wie viele Wohnorte haben Sie schon gehabt?

     ⓒ Warum sind Sie umgezogen?

___2___ **Wer sagt was? Ordnen Sie die Aussagen den Personen zu.**

Stephan Sch. (42) wurde in einem oberbayerischen Dorf geboren. An der Universität Tübingen studierte er Biochemie. Danach arbeitete er bei einem multinationalen Biotechnologieunternehmen in der Nähe seines Studienortes. Als das den deutschen Standort aufgab, stand Stephan vor der Wahl: entweder nach Kalifornien oder die Firma verlassen. Eine Stelle an der niederländischen Universität Utrecht klang in dieser Situation so verlockend, dass er sofort zugriff. Seitdem lebt er mit seiner vierköpfigen Familie in Holland.

> *Seitdem ich im Ausland gelebt habe, wird mir immer klarer, dass ich in manchen Dingen einfach anders bin als meine Kollegen, die hier um die Ecke aufgewachsen sind.*

Marion B. (39) ist die Tochter eines aus Kroatien Zugewanderten und einer Deutschen. Ihr Vater betreibt in München einen Gemüseeinzelhandel und ein Restaurant. Sie ist in Deutschland aufgewachsen und spricht die Sprache ihres Vaters nicht. Sie hat in Berkeley/USA studiert. Nach dem Studium kehrte sie nach München zurück und arbeitet seither dort bei einer international operierenden Unternehmensberatungsfirma.

> *Natürlich ist meine Herkunft ganz wichtig für mein Auftreten und meine Persönlichkeit. Wo ich herkomme, sind die Menschen informeller, lockerer, unbeschwerter als die Leute hier. Ich glaube, das finden meine Geschäftspartner ganz angenehm, dass ich anders bin.*

Geoffrey C. (47) wurde im australischen Perth geboren. Er kam als Mitglied des australischen Segelteams zu einer Weltmeisterschaft nach Kiel. Dabei lernte er seine heutige deutsche Frau kennen. Er entschied sich, in Deutschland zu bleiben, lernte Deutsch und fand eine Stelle in einer deutschen Firma mit internationalen Geschäftsbeziehungen. Inzwischen ist er Geschäftsführer eines hoch spezialisierten Tochterunternehmens. Sein Büro hat er in Ulm. Doch einen großen Teil seiner Zeit verbringt er auf Geschäftsreisen.

> *Wenn ich in den Sommerferien nach Deutschland komme, in den Heimatort meiner Familie, fällt mir jedes Mal die große Veränderung auf. So langsam verschwindet all das, was früher einmal typisch war.*

`AB 112` 6

___3___ **Was fällt Ihnen am Lebenslauf dieser drei Personen auf?**

     ⓐ Ergänzen Sie.

Person	Geburtsort	Lebensmittelpunkt	Kulturelle Wurzeln
Stephan			
Marion			
Geoffrey			

     ⓑ Was haben diese Personen gemeinsam?

     ⓒ Was ist bei jeder Person besonders?

___4___ **Berichten Sie von ähnlichen Fällen in Ihrem Freundeskreis.**

10

_1_ **Sehen Sie die beiden Fotos an.**

Wo ist das? Wie würde das bei Ihnen zu Hause aussehen?

_2_ **„Heimat" – was verbinden Sie damit?**

ⓐ Notieren Sie spontan sechs bis zehn Begriffe.

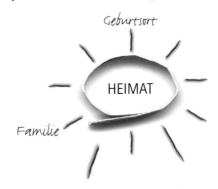

ⓑ Kennen Sie „Heimweh"? Wann tritt das auf? Wie äußert es sich?

_3_ **Lesen Sie den folgenden Vorspann zu dem Artikel auf S. 122–123.**

Was erwarten Sie von dem Text?

☐ Informationen eines Heimatmuseums.

☐ Politische Kommentare von Globalisierungsgegnern.

☐ Eine Analyse über die psychologischen Folgen der Globalisierung für den Menschen.

☐ ...

Heimat, deine Ferne!

In der Globalisierung zu Hause

„Heimat" ist eines jener deutschen Wörter, in denen unendlich viel Ideologie und Innerlichkeit, aber auch schlichter Kitsch, unbestimmte Sehnsucht und falsches Pathos mitschwingt. Und doch steckt in jedem von uns ein bestimmtes Maß an Heimat. Werden wir den Einfluss des Geburtsortes auf unsere Identität und die prägenden Erinnerungen jemals los? – Heimat, ob geliebt oder nicht, ist Bestandteil unserer Persönlichkeit. Umso bemerkenswerter ist das Verschwinden all dessen, was Heimat einmal ausmachte: unverwechselbare Orte, prägende Kulturen, Traditionen und Bindungen.

_4_   Ordnen Sie die Überschriften den Textabsätzen zu.

Zwei Überschriften passen nicht.

☐ *Heute geht es um persönliche Leistung*

☐ *Unverwechselbare Orte: vom Gasthaus zu McDonald's*

☐ *Die „heimatlose" Generation*

☐ *Heimat bedeutete Identität*

☐ *Heimat: Frauen hängen stärker an ihr als Männer*

☐ *Vom Reinbeker zum Europäer – vom lokalen zum globalen Menschen*

☐ *Verlust der Heimat: wirtschaftliche Folgen*

☐ *Moderne Singles – Freunde als Kompensation*   AB 112 7

10

❶ Scheinbar alles globalisiert sich heute, nur der Mensch will sich nicht recht fügen. Zwar verdammt ihn die Zeit zum *global player,* doch seine Wünsche und Träume stehen nur allzu oft gegen diese Entwicklung. Denn häufig überfordert es ihn, sein Leben nicht nur völlig autonom gestalten zu *können,* sondern es zu *müssen.* Er sehnt sich nach dem Halt der guten, alten Heimat. Dabei verdrängt er, dass dieser Halt auch immer Züge von Unfreiheit und Zwang hatte. Heimat ist einerseits ein *Ort,* aber auch eine Institution im Sinne von festgelegten Gemeinschaftsformen. Beide lösen gleichermaßen Gefühle der Vertrautheit und Zugehörigkeit aus, aus denen Identität entsteht. So war es zumindest jahrtausendelang. Und in dem Maße, in dem Heimat als Ort und Institution verschwindet, verschwindet eine Art und Weise, sich mit der Welt zu identifizieren.

❷ In traditionsgeprägten Gesellschaften identifizierte man sich mit dreierlei:

1. mit der eigenen Stammesgruppe, dem Gemeinschaftsverband,

2. mit Stadt, Land, Fluss, also der typischen Gestalt und Architektur der Region, und

3. mit dem eigenen Status als Krieger, Medizinmann oder Bauer, Bürger, Edelmann.

In der modernen Welt bleibt fast nur noch der Status zur Identifikation. Diese Identität ist uns nicht überindividuell gegeben, sondern an etwas gekoppelt, was wir über eine eigene Lebensleistung erreicht haben. Die beiden anderen Formen gehen deutlich zurück: Sämtliche Gemeinschaftsverbände, von der Gemeinde bis zur Ehe, sind quantitativ und qualitativ in Auflösung begriffen, das zeigt die Sozialstatistik.

❸ Und Stadt, Land, Fluss? Um einen Heimatort zu haben, braucht man dort einzigartige Erfahrungen, Düfte und Gerüche, einen typischen Geschmack und Stil, Klänge, Bilder und Gewohnheiten, Architektur, Design, Formen, einen gemeinsamen Dialekt. Doch das Unverwechselbare verschwindet. Die Kultur eines bestimmten Ortes bringt immer weniger von diesem Charakteristischen hervor. Statt einer regionaltypischen Lebensart herrscht der Stil der Vereinheitlichung, eine Art Allerweltskultur.

Wie das aussieht, zeigt eine Ortsbegehung irgendwo in der Provinz: Wo früher die Gaststuben und Gemeindesäle untergebracht waren, in den Wirtschaften, in den Läden, Werkstätten und alten Höfen entlang der Hauptstraße, dort haben sich heute die Schnellrestaurants und die Agenturen des Lifestyle breitgemacht, die „Studios" für Nägel, Piercing oder Tattoo, Beauty- oder Kosmetiksalons, Boutiquen, Fitness- und Sonnenstudios, Videotheken und Haarstylisten.

❹ Heute geht ein Prozess zu Ende, der vor vielleicht 6000 Jahren begann. Seither ist die menschliche Existenz in der Welt durch ein Heimatgefühl definiert, durch den Dualismus von Heimat und Fremde, denn unsere Zivilisation ist überwiegend eine Geschichte der Sesshaftigkeit: Man wurde geboren, lebte, arbeitete, spielte, feierte und starb am gleichen Ort. Erst mit Einsetzen der Moderne wurden diese Räume immer häufiger durchbrochen und äußeren Einflüssen geöffnet. Heute bleibt kaum jemand an seinem Herkunftsort. Man wurde dort geboren, wuchs woanders auf, lebt nun an einem dritten Platz, arbeitet auswärts – und die Freunde wohnen weit weg. Zuerst war ich vielleicht ein Reinbeker, irgendwann mindestens so sehr ein Hamburger, ein Norddeutscher, ein Deutscher, Europäer, und am Ende bin ich ein „globaler Mensch". Das Problem ist: Heimat braucht Grenzen. Wo sie sich lockern, lockert sich auch das Gefühl der Verbundenheit mit dem Ursprungsort.

❺ Diejenigen, die zwischen 1960 und 1975 geboren sind, bilden in besonderem Maße eine heimatlose Generation. Ihr Heimatverlust ist die Folge einer globalen Entwicklung. In ihrer Kindheit und Jugend erlebten sie noch Heimat, aber auch bald ihr Ende. Sie kannten noch ein halbwegs geregeltes Familienleben und die festgefügten Institutionen der Heimat. Sie kannten zum Beispiel Mütter, die sich noch klaglos in ihr bürgerliches Schicksal fügten, die „Hausfrau" waren und für ihre Kinder und den Ehemann die Mahlzeiten bereiteten. Sie kannten noch Väter, die von der Arbeit zum Mittagessen nach Hause kamen und am oberen Tischende Platz nahmen. Auch wenn manche Kinder spürten, dass in manchen dieser Elternbeziehungen nicht gerade die „wahre Liebe" diese Partnerschaft trug, die Institutionen waren mächtiger als der einzelne Wille und schufen eine gewisse Heimatlichkeit. Dazu gehören auch Gottesdienste, Reste eines kirchlich strukturierten Jahreslaufes mit seinen Feiern und Festen, Verwandtschaftsbesuche, Kaffee und Kuchen am Sonntagnachmittag, Sonntagsspaziergänge, gemeinsame Fernsehabende, Spielen auf der Straße, vielleicht noch ein Ernteeinsatz beim Opa auf dem Bauernhof.

10

❻ Nach dem Verschwinden der Heimat als Ort und als Institution stehen wir heute als isolierte Einzelwesen da. Singlegesellschaft, Bindungslosigkeit, das sind die Schlagwörter. Wir können der neuen Einsamkeit aber entgehen, indem wir andere Bündnisse schließen: Freundschaften. Sie sind freiwillig und erlauben Vertrautheit, ja Geborgenheit ohne jeden Zwang. Mit der Freundschaft gelingt vielleicht die Kompensation von Heimat als Institution. Was allerdings nicht gelingen wird, ist eine Kompensation oder Wiederherstellung von Heimat als Ort. Hier wird es uns allenfalls vereinzelt glücken, eine verortete Lebenskultur wiederzubeleben: Durch regionale Küche, Denkmalpflege, Heimatkunde können wir versuchen, Reste von Heimat zu bewahren und vor der alles nivellierenden Walze der Globalisierung zu schützen.

_5_
Bericht

Setzen Sie sich zu dritt oder zu viert zusammen.
Jeder wählt einen Absatz aus dem Text aus und berichtet dazu aus
eigener Erfahrung.

_GR 6_
Passiv

a Ergänzen Sie die Sätze.

GR S. 128

Jeder will, dass man ihn als Individuum **behandelt**.	Jeder will ...
Als Kind **will** man, dass die Familie einen **beschützt**.	Als Kind ...
Der Mensch **will** unverwechselbare Dinge **erhalten**.	Unverwechselbare Dinge sollen ...
Häufig **will** man die Heimat als Ort **wiederherstellen**.	Die Heimat als Ort ...

b Ergänzen Sie.

Passivsätze bildet man mit *wollen*, wenn _____

_____

Passivsätze bildet man mit *sollen*, wenn _____

_____

c Formen Sie in die jeweils andere Form um.

Neuartige Bündnisse sollen geschlossen werden.

_____

Die Menschen wollen andere Identifikationsmöglichkeiten schaffen.

_____

Durch regionale Küche und Denkmalpflege soll ein Stück Heimat
wiederbelebt werden.

_____

AB 112 8

_GR 7_
Variieren Sie die Ausdrucksweise.

Reste von Heimat, die bewahrt werden müssen	**zu** bewahrende Reste von Heimat

a Formulieren Sie Relativsätze mit *müssen* oder *können*.

eine zu lösende Aufgabe _____

ein kaum zu verdrängender Bestandteil der Kultur _____

die anzubringenden Korrekturen _____

b Formulieren Sie mit Partizip.

Menschen, die aus Zwängen befreit werden müssen _____

eine Gefahr, die man ernst nehmen muss _____

ein Leben, das völlig autonom gestaltet werden kann _____

AB 113 9–11

10

WORTSCHATZ

1 Wann greifen Sie zum Wörterbuch?

Kreuzen Sie an.

☐ Sofort, wenn Sie ein Wort nicht kennen?

☐ Erst, wenn Sie das Wort nicht aus Ihrer Muttersprache oder einer anderen Fremdsprache ableiten können?

☐ Erst, wenn Sie es nicht aus seinen Bestandteilen erschließen können?

☐ Erst, wenn Sie es nicht aus dem Satzzusammenhang erraten können?

2 Wörter erschließen

Suchen Sie im Text auf Seite 122/123 Beispiele.

Wörter,

die international verwendet werden,

die sich aus einer Ihnen bekannten Sprache ableiten lassen,

die in Ihrer Muttersprache ähnlich klingen.

Beispiel

global player

_____

_____

AB 114 | 12

10

3 Komposita

ⓐ Definieren Sie die folgenden Wörter.

ⓑ Wie viele Wörter brauchen Sie in Ihrer Sprache dafür?

das Schnellrestaurant

Ein Selbstbedienungsrestaurant, in dem man auf seine Bestellung kaum warten muss.

der Gemeinschaftsverband

die Singlegesellschaft

traditionsgeprägt

ⓒ Bilden Sie Komposita zum Stichwort „Globalisierung".

Beispiel **die Umweltbelastung**

die Arbeit	*die Güter*	*die Kosten*	*der Träger*
die Belastung	*der Handel*	*der Konsum*	*der Transport*
die Bewegung	*die Hoffnung*	*die Masse*	*die Umwelt*
die Drogen	*die Kinder*	*der Protest*	*die Welt*

AB 114 | 13

4 Wortbildung

Zerteilen Sie zusammengesetzte Nomen in ihre Bestandteile und erarbeiten Sie die Bedeutung.

Beispiel *etwas Unverwechselbares* = etwas, das man nicht verwechseln kann

un-	ver-	wechsel	bar-	es

etwas Bewahrenswertes =

die Vereinheitlichung =

die Wiederherstellung =

125

Gelesenes zusammenfassen

Für eine Präsentation oder Seminararbeit wollen Sie den Inhalt des Artikels „*Heimat, deine Ferne*" (auf Seite 121–123) mit eigenen Worten auf Deutsch zusammenfassen. Ihr Text sollte nicht mehr als ein Viertel des Originaltextes lang sein, also circa 250 Wörter.

Schritt 1 **Zwischenüberschriften als „Textgerüst"**

Formulieren Sie aus jeder der Überschriften einen kompletten Satz oder einen kurzen Text.

Beispiel: *„Globalisierung versus Sehnsucht nach Heimat"*

Gegenwärtig spürt man in unserer Gesellschaft zwei sehr gegensätzliche Tendenzen. Auf der einen Seite erfahren wir alle die ständig wachsende Globalisierung. Auf der anderen Seite wächst unsere Sehnsucht nach Heimat und Geborgenheit.

Schritt 2 **Schlüsselwörter erkennen und einbauen**

Unterstreichen Sie in jedem Absatz die sinntragenden Begriffe.

Beispiel:

Scheinbar alles globalisiert sich heute, nur der Mensch will sich nicht recht fügen. Zwar verdammt ihn die Zeit zum „global player", doch seine Wünsche und Träume stehen nur allzu oft gegen diese Kulturentwicklung. Denn häufig überfordert es ihn, sein Leben nicht nur völlig autonom gestalten zu können, sondern es zu müssen – und er sehnt sich nach dem Halt der guten, alten Heimat. Dabei verdrängt er, dass dieser Halt auch immer Züge von Unfreiheit und Zwang hatte. Heimat ist einerseits ein Ort, aber auch eine Institution im Sinne von festgelegten Gemeinschaftsformen. Beide lösen gleichermaßen Gefühle der Vertrautheit und Zugehörigkeit aus, aus denen Identität entsteht. So war es zumindest jahrtausendelang. Und in dem Maße, in dem Heimat als Ort und Institution verschwindet, verschwindet eine Art und Weise, sich mit der Welt zu identifizieren.

Schritt 3 **Hauptaussagen herauslösen**

Fassen Sie bedeutungsähnliche Wörter oder mehrfach Unterstrichenes zu einer Aussage zusammen. z. B.: *Wünsche und Träume* und *Sehnsucht*, oder *gute, alte Heimat* und *Heimat, …*

Schritt 4 **Formulieren eines kohärenten Textes**

Verbinden Sie die Sätze und Textteile sinnvoll miteinander. Verwenden Sie Adverbiale wie *deshalb, trotzdem, folglich, außerdem, stattdessen, …* oder Nebensatzkonnektoren wie *da, obwohl, um … zu, anstatt … zu, nachdem.*

Schritt 5 **Korrektur lesen**

Prüfen Sie selbst, ob Ihr Text verständlich ist.
Tauschen Sie Ihren Text mit einem Lernpartner / einer Lernpartnerin.

HÖREN 2

__1__ Zeitreisen – Was fällt Ihnen dazu ein?

__2__ **Hören Sie nun eine Dokumentation.**

Abschnitt 1

CD | 57

Die Auswanderer und ihre Nachahmer

Hören Sie und ergänzen Sie die Aussagen.

ⓐ Es ist die Rede von den Anfängen der _____ und den ersten europäischen _____.

ⓑ Das war im _____ Jahrhundert.

ⓒ Einige _____ wollten diese „Zeitreise" noch einmal erleben.

ⓓ Mit einem _____ machen sie sich auf den Weg nach
_____.

ⓔ Die Bedingungen während der Reise sind _____, es gibt zum Beispiel (kein) _____.

Abschnitt 2

CD | 58

Rückbesinnung auf die „gute alte Zeit".

ⓕ Welche Aspekte machen das Erleben der „guten alten Zeit" besonders spannend?

ⓖ Inszeniert und gefilmt werden solche Abenteuer als sogenannte _____shows.

ⓗ Welche Aufgabe übernimmt Hans Peter Amen an Bord der „Bremen"?
_____

ⓘ Probleme hatte der Schiffskoch vor allem mit _____
Bei stürmischer See werden einige Passagiere _____

Abschnitt 3

CD | 59

Die Ankunft

ⓙ Wohin kehren die Abenteurer nach Aussage des Kommentators zurück? _____
Was empfinden die Angehörigen der Schiffsreisenden während der Wartezeit?

Person 1: _____
Person 2: _____
Person 3: _____

ⓚ Was für ein Gefühl stellt sich bei den meisten Abenteurern ein?
_____

__3__ **Warum unternehmen Menschen heutzutage eine solche Reise?** `AB 114` 14

127

1   *wollen* und *sollen*   ÜG S. 112

Durch die Verwendung des Modalverbs *sollen* kann man Sätze so
formulieren, dass die Person oder Institution, die etwas will, nicht
erscheint (z.B. weil sie im Kontext bereits genannt wurde).

Passiv	*Nach heftigen Diskussionen hat der Gemeinderat gestern verschiedene Bau-projekte beschlossen. Unter anderem soll der Kirchplatz neu gestaltet werden.*
Aktiv	*Außerdem soll die Verwaltung bis zur nächsten Sitzung Angebote zur Renovierung des Feuerwehrhauses einholen.*

Bei der Umformulierung ins Passiv wird das Modalverb *wollen* durch
das Modalverb *sollen* ersetzt, wenn das Subjekt des Verbs *wollen* im
Passivsatz nicht mehr erscheint.

wollen	Aktiv	*Kinder wollen,*	*dass die Familie sie schützt.*
	Passiv	*Kinder wollen*	*(, dass sie) von der Familie geschützt werden.*
	Aktiv	*Der Mensch will unverwechselbare Dinge erhalten.*	
sollen	Passiv	*Unverwechselbare Dinge sollen erhalten werden.*	

2   Nebensätze mit Modalverb im Passiv

Im Nebensatz steht das Modalverb ganz am Ende.

Hauptsatz:

			Modalverb	Vollverb	werden
Viele Kritiker denken:		*Die Globalisierungsgegner*	*müssen*	*ernst genommen*	*werden.*

Nebensatz:

			Vollverb	werden	Modalverb
Viele Kritiker denken,	*dass*	*die Globalisierungsgegner*	*ernst genommen*	*werden*	*müssen.*

3   *zu* + Partizip I als Adjektiv*   ÜG S. 116

a Verwendung als Passiversatz

zu + Partizip I	*zu bewahrende Reste von Heimat* *zu lösende Schwierigkeiten*
Relativsatz mit *sein* + *zu*	*Reste von Heimat, die zu bewahren sind* *Schwierigkeiten, die zu lösen sind*
Relativsatz mit *müssen* oder *können* im Passiv	*Reste von Heimat, die bewahrt werden müssen* *Schwierigkeiten, die gelöst werden können*

* auch Gerundiv genannt

Der Bedeutungsunterschied zwischen *müssen* und *können* ist
nicht mehr erkennbar:

ein zu lösendes Problem	*ein Problem, das gelöst werden kann* *ein Problem, das gelöst werden muss*

b Bildung

Artikelwort	*zu*	Partizip I	Adjektivendung	Nomen
ein	*zu*	*lösend*	*es*	*Problem*

Arbeitsbuch
Lektion 6–10

Verben

abblocken

abbrechen

anrennen gegen + *Akk.*

anschwärzen

aufholen

aufsteigen

aushandeln

ausscheiden aus + *Dat.*

sich bewerben bei + *Dat.* um
+ *Akk.*

einfordern

einreden

eintreten für + *Akk.*

entlarven

fördern

gleichsetzen mit + *Dat.*

sich hervortun

neigen zu + *Dat.*

bei jdm. punkten

postulieren

unterdrücken

unterstützen

vereinbaren

vermeiden

verzichten auf + *Akk.*

voraussetzen

wirken auf + *Akk.*

Nomen

die Abgaben (Plural)

der Anteil an + *Dat.*

die Arbeitsteilung

die Aufstiegschance, -n

die Begegnung mit + *Dat.*

das Betriebsklima

die Bevorzugung

der Bewerber, -

die Bewerberin, -nen

die Chancengleichheit

der Ehrgeiz

das Erwerbsleben

die Führungsqualität, -en

die Gehaltsabrechnung, -en

die Gesellschaftsform, -en

die Gleichberechtigung

der Karriereknick

das Klischee, -s

die Kompromissfähigkeit

die Opferbereitschaft

das Patriarchat

das Pflegekind, -er

das Privileg, -ien

die Rabenmutter, ¨

die Rollenverteilung

die Sozialversicherung

die Stiftung, -en

der Stolperstein, -e

der Teamgeist

die Unternehmungslust

der/die Vorgesetzte, -n

das Vorstellungsgespräch, -e

die Zuständigkeit, -en

die Zustimmung (zu + *Dat.*)

Adjektive/Adverbien

abstoßend

aggressiv

allerdings

anpassungsfähig

anziehend

auffällig (un-)

ausschlaggebend

bahnbrechend

durchsetzungsfähig

eifersüchtig auf + *Akk.*

eingebildet

eitel

emotional

feindselig

gepflegt (un-)

geschätzt

geschmacklos

herkömmlich

hinderlich

immerhin

je nachdem

kompetent

kompromissfähig

lässig

lediglich

leger

opferbereit

qualifiziert (un-)

ratsam

respektive

skrupellos

steif

überlegen

vermehrt

vielmehr

zielstrebig

zumeist

Ausdrücke

auf Anhieb erkennen

auf der Hand liegen

auf eine Idee kommen

aus dem Weg räumen

die Fäden in der Hand haben/
halten

die Rechnung geht auf

eine Beziehung eingehen

eine Rolle innehaben

einen Beitrag leisten zu + *Dat.*

Einfluss ausüben auf + *Akk.*

etwas auf sich nehmen

etwas über Bord werfen

etwas werden

im Vergleich zu + *Dat.*

in den Arm nehmen

in den Hintergrund treten

jdm./einer Sache aus dem Weg
gehen

jdn. auf dem Laufenden halten

kürzertreten

Opfer bringen für + *Akk.*

sich etwas abnehmen lassen

Wert legen auf + *Akk.*

6

LEKTION 6

1 **Personenbeschreibung** → LERNWORTSCHATZ

a Markieren Sie neben den Adjektiven, die Charakter oder Verhalten einer Person beschreiben: Welche haben eine eher positive (+), eine negative (–) und welche eine neutrale (+/–) Bedeutung?

b Suchen Sie den gleichbedeutenden bildlichen Ausdruck aus der Lernwortschatzliste.

Synonym	Lernwortschatz
etwas beseitigen	
eine Person über alles Wichtige informieren	
Einbruch in der beruflichen Laufbahn	
einverstanden sein, dass man eine Aufgabe an jemanden abgibt	
etwas oder jemanden meiden	
auf etwas verzichten	
die Kontrolle über etwas ausüben	
etwas verläuft so wie geplant	

6

zu Seite 67, 1

2 **Traummänner – Traumfrauen** → WORTSCHATZ/SCHREIBEN

a Welches Aussehen gefällt Ihnen an Männern bzw. an Frauen?
Kreuzen Sie an.

☐ braune Haut ☐ elegante Kleidung ☐ geschminktes Gesicht ☐ gepflegte Erscheinung
☐ kurz geschnittener Drei-Tage-Bart ☐ selbstbewusster Blick ☐ behaarte Brust
☐ markantes Gesicht ☐ dunkle/blaue Augen ☐ konservative Kleidung
☐ kräftige/lange/dichte Haare ☐ maskuline Figur ☐ muskulöse Arme und Beine
☐ schlanke Taille ☐ schmale Hüften ☐ unauffälliges Äußeres ☐ volle Lippen
☐ weibliche Figur

b Schreiben Sie einen Text mit sechs Sätzen über Ihren Traummann bzw.
Ihre Traumfrau. Benutzen Sie dabei die folgenden Redemittel.

Mein Traummann / Meine Traumfrau sollte auf jeden/keinen Fall ...
Besonders gut gefällt mir bei Männern/Frauen ...
... ist/sind nicht nach meinem Geschmack.

zu Seite 68, 3

3 **Umfrage-Ergebnisse** → LESEN/SPRECHEN

a Markieren Sie in der folgenden Umfrage Ergebnisse, die Sie besonders interessant finden.

Frage 1	
Ein sehr wichtiger Lebensbereich ist für mich ...	
Partnerschaft 55%	Beruf 43%
Familie und Kinder 55%	Freizeit 27%
Freunde 44%	Weiterbildung 26%

Frage 2

Um meine Karriere zu fördern, würde ich ...

den Wohnort wechseln.

`60%`

den Kleidungsstil ändern.

`48%`

auf Zeit mit Freunden verzichten.

`49%`

die Betreuung von Haushalt und Kindern hauptsächlich der Partnerin / dem Partner überlassen.

`42%`

auf Zeit mit den Kindern / der Familie verzichten.

`21%`

auf Kinder verzichten.

`10%`

eine intime Beziehung mit dem Chef / der Chefin eingehen.

`9%`

Kollegen anschwärzen.

`1%`

Frage 3

Frauen machen so selten Karriere, weil ...

sie durch Kinder daran gehindert werden.

`73%`

sie vom Vorgesetzten am Aufstieg gehindert werden.

`66%`

Partner und Familie sie nicht genug unterstützen.

`58%`

Partner und Familie sie am Aufstieg hindern.

`57%`

sie nicht skrupellos genug sind.

`29%`

sie zeitlich nicht flexibel genug sind.

`16%`

sie nicht durchsetzungsfähig genug sind.

`16%`

sie nicht mobil genug sind.

`12%`

sie nicht kompetent genug sind.

`4%`

b Formulieren Sie Ihre Ergebnisse mit folgenden Ausdrücken.

Überraschend Erstaunlich Bemerkenswert	viele wenige	geben an, ...

Beispiel: *Überraschend viele/wenige Personen geben an, Partnerschaft sei für sie sehr wichtig.*

zu Seite 71, 4

__4__   Paraphrasen → **WORTSCHATZ**

Machen Sie Paraphrasen mit Formulierungen aus den Texten auf Seite 69–71 im Kursbuch.

aus Text 1:

a Ich habe ihn sofort wiedererkannt. (Absatz 1)

b Warum ist mir das nicht eingefallen? (Absatz 1)

c Kleidung ist äußerst wichtig für ihn. (Absatz 3)

d Sie hat es zu etwas gebracht. (Absatz 5)

e Sie hat Karriere in der Firma gemacht.

Sie ist in der Firma .... (Absatz 6)

aus Text 2:

f Sie meiden diese schwierige Situation lieber (Absatz 2)

g ..., hätte ich weniger intensiv gearbeitet (Absatz 3)

h ..., dass sie Aufgaben delegieren (Absatz 5)

aus Text 3:

i Das Ergebnis ist nur dann so, ... (Absatz 1)

j ... sie sich um beides gleichzeitig mehr kümmern (Absatz 2)

aus Text 4:

k hat sich grundlegend geändert (Absatz 1)

zu Seite 71, 4

___5___ Informationsbroschüre → LESEN

Ordnen Sie den Texten **A** bis **E** die Überschriften aus einer Informationsbroschüre für Frauen zu. Nicht alle Überschriften passen zu einem Text.

Text	A	B	C	D	E
Überschrift	4				

1 Förderung weiblicher Schüler

2 Berufsvorbereitende Maßnahmen

3 Telearbeit

4 Frauenquote in der Politik

5 Indirekte Lohndiskriminierung

6 Etwas unternehmen –
die Selbstständigkeit

7 Flexible Arbeitszeit

A Demokratie bedeutet auch, dass Frauen und Männer gleichberechtigt am politischen Leben teilha-
ben. Um den Anteil von Frauen in den politischen Gre-
mien und Parteien zu erhöhen, haben manche Parteien
einen bestimmten Prozentsatz (bis zu 50%) an Ämtern und
Mandaten festgelegt, der von Frauen besetzt sein muss.

B Mädchen bevorzugen immer noch fremdsprachliche
und geisteswissenschaftliche Fächer. Die Bereiche
Mathematik und Naturwissenschaften werden nach wie vor
häufiger von ihren männlichen Mitschülern gewählt. Aus
diesem Grund fördert die Bundesregierung verschiedene
Untersuchungen und Modellversuche, um Mädchen ver-
stärkt für naturwissenschaftlich-technische Fächer zu interessieren.

C Die Forderung, für gleiche Arbeit auch gleiche Bezahlung zu erhalten, ist eines der ältesten Ziele der Frau-
enbewegung. Inzwischen ist die Rechtslage eindeutig: Mehrere Gesetze verbieten es, Frauen schlechter zu bezahlen als
Männer. Dennoch erzielen Frauen im Durchschnitt nur etwa

knapp drei Viertel des Einkommens von Männern. Der Grund
dafür ist meist eine unterschiedliche Berufsstruktur von
Frauen und Männern.

D Ob es gelingt, Beruf und Familie zu vereinbaren, hängt
ganz entscheidend von flexibleren Arbeitszeiten und
-bedingungen ab. Fantasie und Kreativität bei der Findung
und Erprobung neuer Arbeitszeitmodelle werden nicht nur
positive Auswirkungen für Familien haben. Sie können auch
im Interesse der Arbeitgeber liegen. Denn eine verbesserte
Ausnutzung zur Verfügung stehender Arbeitszeiten wird die
Optimierung teurer Maschinenlaufzeiten ermöglichen und
damit zu einer Stärkung der Wettbewerbsposition führen.

E Diese Arbeitsform umfasst ausschließlich Tätigkeit zu
Hause und die wechselnde Arbeit zwischen Betrieb und
dezentralem Arbeitsplatz. Ausgeübt werden kann sie im Rahmen eines Arbeitsverhältnisses sowie freiberuflich oder
selbstständig. So lassen sich Familie und Beruf unter Nutzung
der Informationstechnologien besser als bisher vereinbaren.

LEKTION 6

zu Seite 71, 6

__6__ Nominalisierung → GRAMMATIK

Bilden Sie aus den verbalen Ausdrücken nominale Ausdrücke, die in die Sätze passen.

ⓐ abbrechen   Sie bereut den ....*Abbruch*............ ihres Studiums.

ⓑ unterstützen   Er braucht in dieser Sache die .... seines Arbeitgebers.

ⓒ denken   Allein beim .... daran bekomme ich schon Bauchschmerzen.

ⓓ beschäftigen   Selbst seine jahrelange .... mit dem Thema führte zu nichts.

ⓔ korrigieren   Sie braucht immer viel Zeit für die .... der Aufsätze.

ⓕ sich sehnen   Sie hatte unbeschreibliche .... nach ihm.

ⓖ zurücktreten   Er erklärte überraschend seinen ....

ⓗ heute ergeben   Das ....*heutige Ergebnis*............ der Verhandlungen freute ihn sehr.

ⓘ gestern diskutieren   Die .... hat gute Ergebnisse gebracht.

ⓙ heftig kritisieren   Die Opposition übte .... an den Reformplänen.

ⓚ schnell aufsteigen   Ihr .... in der Firma war vorauszusehen.

6

zu Seite 71, 6

__7__ Sätze mit Kasusergänzung → GRAMMATIK

Ergänzen Sie in den Sätzen das Nomen und eine passende Präposition.

ⓐ Männer misstrauen oft selbstbewussten Frauen.
Das ......*Misstrauen gegenüber*...... selbstbewussten Frauen ist jedoch unberechtigt.

ⓑ Der Chef dankte allen Mitarbeitern für ihren Einsatz im letzten Jahr.
Der .... des Chefs .... alle Mitarbeiter war wirklich ernst gemeint.

ⓒ Sie passt sich schnell den neuen Umständen an.
.... die neuen Umstände bereitet ihr keine Probleme.

ⓓ Er begegnete seiner großen Liebe nach zehn Jahren wieder.
Die .... seiner großen Liebe änderte sein ganzes Leben.

ⓔ Er stimmte ihren Vorschlägen sofort zu.
.... ihren Vorschlägen überrascht mich sehr.

ⓕ Er berichtete der Redaktion von dem Vorfall.
.... die Redaktion kam gerade noch rechtzeitig an.

zu Seite 71, 6

__8__ Sätze mit Präpositionalergänzung → GRAMMATIK

Formen Sie die folgenden Sätze so um, dass der Nebensatz wegfällt.
Beispiel: Frauen legen immer mehr Wert **darauf**, viel zu verdienen.
     Frauen legen immer mehr Wert auf gute Verdienstmöglichkeiten.

ⓐ Sie denkt immer nur daran, wie sie aussieht.
ⓑ Er achtete genau darauf, wie sie sich benimmt.
ⓒ Kann ich mich darauf verlassen, dass du pünktlich bist?
ⓓ Ich beneide ihn darum, dass er so intelligent ist.
ⓔ Wir rechnen damit, dass das Gehalt erhöht wird.
ⓕ Hanna begnügt sich nicht damit, nur Hausfrau und Mutter zu sein. (Rolle als ...)

LEKTION 6

zu Seite 71, 6

9 Sätze mit Nebensatzkonnektoren → GRAMMATIK

Formen Sie die folgenden Sätze in Sätze mit Nebensätzen um.
Verwenden Sie dazu folgende Konnektoren: *als – bis – dadurch, dass – nachdem – wenn – weil/da.*

Beispiel: **Wegen** einer möglichen Schwangerschaft werden Frauen nicht so gerne eingestellt.
Weil Frauen schwanger werden können, werden sie nicht ...

ⓐ Aufgrund seines hervorragenden Zeugnisses wurde er sofort eingestellt.

ⓑ Nach Abbruch seines Studiums machte er eine Weltreise.

ⓒ Bei unserer gestrigen Diskussion habe ich mich sehr geärgert.

ⓓ Durch seine häufigen Geschäftsreisen kam er viel herum.

ⓔ Nach meiner Rückkehr hatte ich schon bald wieder Fernweh.

ⓕ In meiner Kindheit hatte ich kaum Spielzeug.

ⓖ Bis zur perfekten Beherrschung einer Fremdsprache muss man viel lernen.

ⓗ Bei guter Bezahlung nehme ich den Job.

ⓘ Aus Mangel an Selbstbewusstsein verlangte sie keine Gehaltserhöhung.

zu Seite 71, 6

10 Präpositionen – Präpositionalpronomen → LESEN/GRAMMATIK

Ergänzen Sie in den Texten unten für die Nummern 1 bis 8 die passende Präposition bzw. das passende Präpositionalpronomen.

0	☒ an	☐ auf	☐ in
1	☐ mit	☐ während	☐ wegen
2	☐ im	☐ nach	☐ zu
3	☐ als	☐ im	☐ von
4	☐ an	☐ auf	☐ her
5	☐ am	☐ im	☐ in
6	☐ an	☐ in	☐ nach
7	☐ nach	☐ von	☐ zwischen
8	☐ daran	☐ dazu	☐ davon

❶ Jungen wachsen anfälliger und verletzlicher auf als Mädchen und sterben häufiger als diese (0) Kinderkrankheiten. Sie werden öfter disziplinarisch belangt, werden häufiger (1) Hyperaktivität oder Lernschwäche behandelt und auch von der Schule geworfen. Mehr Jungen als Mädchen geraten auf die schiefe Bahn oder hauen von (2) Hause ab. (3) Jugendliche werden sie wesentlich öfter straffällig und inhaftiert.

❷ Frauen sind von Geburt (4) redefreudiger als Männer. Zu diesem Ergebnis kommt eine Studie an der Queen's University in Belfast. Wissenschaftler fanden heraus, dass Mädchen bereits im Mutterleib mehr Mundbewegungen machen als Jungen. Ganz deutlich trete der Unterschied an Sprechfreudigkeit schließlich (5) Alter von 20 Monaten auf. Mädchen seien jedoch nicht nur beim Sprechen gleichaltrigen Jungen voraus, sondern generell in der gesamten Entwicklung, betonen die Wissenschaftler.

❸ Wussten Sie schon, dass sich Männer und Frauen in Hotels ganz unterschiedlich benehmen? (6) einer Studie hinterlassen Frauen ihr Zimmer unordentlicher und schlafen länger. Sie lassen auch eher mal ein kleines Andenken mitgehen. Männer sind dagegen lauter und setzen häufiger das Bad unter Wasser. Auch beim Griff in die Minibar liegen sie vorn. Und sie schließen sich, meist spärlich bekleidet, öfter aus ihrem Zimmer aus.

❹ Männer haben zwar ein größeres Gehirn als Frauen, aber auch ein Problem mit grauen Zellen: (7) 18 und 45 schrumpfen bei Männern die Stirnlappen des Gehirns um durchschnittlich 15 Prozent. Frauen verlieren im Vergleich (8) nur fünf Prozent. Die Auswirkungen der männlichen Gehirnschrumpfung: Abstraktes Denken, Konzentrationsfähigkeit, Aufmerksamkeit, geistige Beweglichkeit und Gedächtnis lassen nach.

LEKTION 6

zu Seite 71, 6

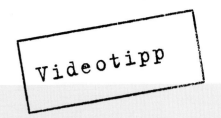

__11__   Die Ehe der Maria Braun → WORTSCHATZ

Die Ehe der Maria Braun

BRD 1978; Regie: Rainer Werner Fassbinder
Darsteller: Klaus Löwitsch, Hanna Schygulla, Gisela Uhlen,
Ivan Desny, Gottfried John; Länge: 116 Minuten

6

Setzen Sie die Adverbien an der passenden Stelle in die Filmkritik ein.

zielstrebig – schön – inzwischen – vergeblich – doch – blendend – plötzlich –
regelmäßig – zunächst

Liebes- und Ehegeschichte in Krieg und Nachkrieg: Ein (1) .... fotografierter,
dramaturgisch straffer, (2) .... gespielter Fassbinder-Film. Einer der hundert
besten Filme aller Zeiten, ein Kinoklassiker.
Der Film beginnt mit einer Kriegstrauung mitten im Bombenhagel; am nächsten Tag muss
Hermann Braun zurück an die Front. Bei Kriegsende zählt er zu den Vermissten;
(3) .... sucht Maria ihn unter den heimkehrenden Soldaten. Sie schlägt sich
durch, handelt auf dem Schwarzmarkt, arbeitet in einer Bar für amerikanische GIs und
lernt den Schwarzen Bill kennen. (4) .... steht Hermann in der Tür. Es
kommt zwischen beiden Männern zum Kampf, bei dem Maria Bill mit einer Flasche er-
schlägt. Vor dem Staatsanwalt nimmt Hermann die Tat auf sich; er wird verurteilt. Maria
besucht ihn (5) .... im Zuchthaus: Während er die Strafe absitzt, arbeitet sie
bei dem Fabrikanten Karl Oswald, einem älteren Herrn, der sich in sie verliebt. Maria
macht (6) .... Karriere, wobei sie auf ihre Art ihrem Mann treu bleibt. Als
der aus dem Zuchthaus entlassen wird, verpasst sie ihn. Er geht (7) .... ins
ferne Ausland, kehrt jedoch zurück. Maria erwartet ihn in ihrem Haus: Oswald ist (8)
.... gestorben, er hat Maria zu seiner Erbin gemacht. Bei der Testaments-
eröffnung erfährt sie von einer Vereinbarung zwischen Oswald und Hermann, der sie dem
Fabrikanten überlassen hat, solange dieser noch zu leben hat. Das Eheleben, immer wieder
aufgeschoben, könnte nun beginnen. (9) .... Maria zündet sich eine
Zigarette am offenen Gasherd an und löst damit – Absicht oder Unfall? – eine Explosion
aus.

LEKTION 6

zu Seite 73, 2

__12__ Gehaltsabrechnung → WORTSCHATZ

Ergänzen Sie den Text.

⟨ das Nettoeinkommen – der Aufwand – die Lohnsteuer – die Sozialkassen – der Arbeitgeber – der Arbeitnehmer – die Personalkosten – die Verdienstabrechnung – die Lohnkosten

Aus 2795 werden 1490

Es ist nicht verwunderlich, dass (1) .... und Arbeitgeber bisweilen
Verständigungsschwierigkeiten haben, wenn sie sich über den Arbeitslohn unterhalten.
Der Chef stöhnt über die hohen (2) ...., der Mitarbeiter beklagt sein (3)
................................., mit dem er einen ganzen Monat auskommen muss. Und in der Tat:
Zwischen dem, was die Arbeit die (4) .... kostet, und dem, was sie in
klingender Münze einbringt, klafft eine erhebliche Lücke. Vom (5) .... für
Arbeit, wie ihn der Betrieb in seiner Kostenrechnung kalkuliert, wird nur gut die Hälfte
(53 %) dem Konto des Arbeitnehmers gutgeschrieben. Durchschnittlich 2795 Euro im
Monat müssen die Arbeitgeber für jeden Mitarbeiter ausgeben. Davon sind 2250 Euro brutto
auf der (6) .... ausgewiesen. Unsichtbar für die Arbeitnehmer bleiben jene
545 Euro, die der Betrieb als Arbeitgeberbeiträge an die (7) .... abführt.
Nach Abzug der (8) .... und des Solidaritätszuschlags sowie der Arbeit-
nehmerbeiträge zur Renten-, Kranken-, Pflege- und Arbeitslosenversicherung bleiben
lediglich 1490 netto im Monat übrig. Den Unterschied zwischen (9) ....
und Nettoverdienst – in unserem Beispiel 1305 Euro – kassiert der Staat.

zu Seite 76, 3

__13__ Adverbien → WORTSCHATZ

a Welche Adverbien haben die gleiche Bedeutung? Verbinden Sie.

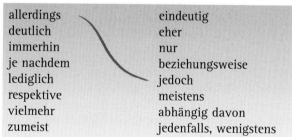

allerdings	eindeutig
deutlich	eher
immerhin	nur
je nachdem	beziehungsweise
lediglich	jedoch
respektive	meistens
vielmehr	abhängig davon
zumeist	jedenfalls, wenigstens

b Bilden Sie Sätze. Bei manchen Adverbien sind verschiedene Satzstellungsvarianten
möglich.

Beispiel: allerdings – schon sechs Jahre – Firma – keine großen Karrieresprünge
*Er arbeitet schon sechs Jahre bei dieser Firma, macht allerdings keine großen
Karrieresprünge.*

1 eindeutig – Herr Soltau – schuld sein – falsche Berechnung
2 deutlich – seit – neue Geschäftsführerin da sein – der Umsatz – nach oben gehen
3 immerhin – Firma Schwung – dieses Jahr – im Vergleich mit anderen Betrieben – nicht
an erster Stelle – aber guten Umsatz machen
4 je nachdem – Einkommen – Mitarbeiter – unterschiedlich – wie – qualifiziert
5 lediglich – Spitzeneinkommen über 200.000 Euro – jährlich – kleiner Prozentsatz der
Berufstätigen
6 vielmehr – künstlerische Berufe – Geld nicht die Motivation – sein – innere Berufung
7 zumeist – wenn – unkonzentriert arbeitet – liegt – an beruflichem Stress

LEKTION 6

zu Seite 76, 3

14 Rollenspiel → SPRECHEN

Erfolgreich im Beruf: ja! – aber wie?
Eine steile Karriere machen, auf der Erfolgsleiter hochklettern, das stellen sich viele
Menschen am Anfang ihres Berufslebens vor – doch was gehört wirklich alles dazu, um
beruflich erfolgreich zu sein? Wir haben zu unserer Gesprächsrunde Menschen aus den
unterschiedlichsten Berufen eingeladen, die uns vielleicht auch einige ihrer Erfolgsrezepte
verraten! Mit unserer Moderatorin / unserem Moderator unterhalten sich heute:

Herbert Stadler Manager in einer Grafik-Design-Firma	**Paul Strauß** Erster Geiger im Rundfunk-orchester	**Liz Meisenzahl** Schulleiterin an einem Gymnasium
Mathias Eisenschink Schreinermeister u. Werkstatt-besitzer mit 20 Mitarbeitern	**Micha Schöneberg** Chef einer Restaurantkette	**Janine Völkner** Universitätsprofessorin für Psychiatrie
Christiane Schäringer Tangoshowtänzerin und -lehrerin	**Helmut Denk** Hoher Beamter im Kultus-ministerium	**Raimund Nagel** Gartenbauarchitekt, Preisträger
Sabine Mayer Tierärztin mit großer, eigener Praxis	**Barbara León** Besitzerin eines Wellness-hotels	**Roland Raab** Chefingenieur in der Auto-mobilbranche

Jeder wählt ein Rollenkärtchen und bereitet sich einige Minuten auf seine Rolle vor.
Anschließend eröffnet die Moderatorin / der Moderator die Gesprächsrunde und achtet
darauf, dass alle Teilnehmer zu Wort kommen.

Über eigene Absichten/Erfahrungen sprechen
– *Also, bei mir lief das folgendermaßen: ...*
– *Ich wollte eigentlich immer schon ...*
– *Zuerst dachte ich, ich würde ...*

Schwierigkeiten / positive Ereignisse benennen
– *Gar nicht so einfach war es, ...*
– *Meine erste berufliche Krise hatte ich, als ...*
– *Plötzlich ergab sich eine Chance, nämlich ...*
– *Man bot mir an, ...*

Empfehlungen aussprechen
– *Ganz wichtig scheint mir für den Erfolg, ...*
– *Man sollte genau überlegen, ...*
– *Dabei darf man ... nicht vergessen/vernachlässigen ...*

Auf die Beiträge der anderen reagieren
– *Ja, da habe ich ähnliche ...*
– *Dem kann ich so nicht zustimmen, denn ...*
– *Das muss aber nicht immer so sein: Bei mir ...*

<u>1</u> Gedicht lesen

Sehen Sie sich das Gedicht von Max Bense an. Zu welchen Themen finden Sie darin Wörter? Was fällt Ihnen an der Schreibweise auf?

sog

wand

jagd

sein

fisch

strich

tang

nichts

tag

stroh

herbst

haus

glanz

jod

sand

bild

jahr

meer

spur

rost

krebs

schritt

laut

tritt

last

mohn

flut

wind

schiff

fall

netz

holz

rot

bar

knie

ist

strand

duft

stein

hals

salz

kiel

blick

gras

fuss

halt

mund

ziel

schlag

rock

weg

arm

scham

ohr

mond

see

schlaf

glas

strumpf

traum

nacht

lid

haut

<u>2</u> Lange Vokale

LERNER-CD 1 ⓐ Hören Sie das Gedicht und unterstreichen Sie beim Hören alle langen Vokale.

ⓑ Ergänzen Sie die fehlenden Beispiele in der Liste. Achten Sie auf Groß- und Kleinschreibung.

o	a	e	u	i
Sog	Jagd	Meer	Spur	Knie

LERNER-CD 2 ⓒ Hören Sie die Wörter aus der Liste noch einmal und sprechen Sie sie nach.

3 Kurze Vokale

a Ergänzen Sie in der Liste Beispiele aus dem Gedicht.

LERNER-CD 3 **b** Hören Sie die Wörter aus der Liste noch einmal und sprechen Sie sie nach.

a	i	o	e	u
Wand	Fisch	Rost	Herbst	Duft
Nacht				

4 Regeln

Ergänzen Sie, wo möglich, weitere Beispiele aus dem Gedicht und sprechen Sie diese Wörter.

kurz				lang	
immer vor		oft vor		immer lang	
Doppel-konsonant	Schritt	zwei oder mehr Konsonanten	Wind	Doppelvokal	Meer
		ck	Rock	ie	Knie
		tz	jetzt	Vokal + h	Mohn
				Vokal + r	Spur
				Vokal + Konsonant + Vokal	Blume

6

Lernkontrolle: Was haben Sie in dieser Lektion gelernt?

Kreuzen Sie an.

Rubrik	Handlungen	gut	besser als vorher	möchte ich noch vertiefen
Lesen	■ Mehrere Pressetexte zum Thema „Erfolgsaussichten für Frauen und Männer" durcharbeiten, gemeinsame Inhaltspunkte identifizieren und herausschreiben (exzerpieren).	☐	☐	☐
	■ Einen Ratgebertext zum Thema „Karriere" inhaltlich und strukturell richtig ergänzen.	☐	☐	☐
Hören	■ Einem Interview mit einer Personalchefin ihre Auswahlkriterien für Bewerber entnehmen.	☐	☐	☐
Schreiben – Produktion	■ Für eine Kurszeitung einen Beitrag zum Thema „Stress am Arbeitsplatz" auf der Basis eines Schaubilds verfassen.	☐	☐	☐
Sprechen – Interaktion	■ Im Kurs eine Umfrage zum Thema „Karriere" durchführen und auswerten.	☐	☐	☐
Wortschatz	■ Wörter und Wendungen zu den Themen „Gehalt", „Abgaben" und „Steuern" differenziert und präzise einsetzen.	☐	☐	☐
Grammatik	■ Durch den gezielten Einsatz von Verbalstil und Nominalstil abwechslungsreiche Texte verfassen.	☐	☐	☐

Sprechen Sie mit Ihrer Kursleiterin / Ihrem Kursleiter über das Ergebnis.
Sie/Er wird Ihnen Tipps zum Weiterlernen geben.

6

LEKTION 7 – *Lernwortschatz*

Verben

abstreiten
beweisen
einbrechen
ermitteln
erpressen
erwähnen
erwischen
fordern
misshandeln
mogeln
rauben
sich beschränken auf + *Akk.*
sich verstricken in + *Dat.*
stehlen
umbringen
verdächtigen
verletzen
verschlimmern
verurteilen
wiedergutmachen

Nomen

die Abschreckung
das Alibi, -s
die Angeberei
die/der Angeklagte, -n
die Aussage, -n
der Betrug
die Bewährung
das Delikt, -e
der Diebstahl, ¨e
die Eifersucht
der Einbruch, ¨e
die Einschätzung, -en
die Ermittlung, -en
die Erpressung, -en
die Erregung
der Fall, ¨e
die Festnahme, -n
der Freispruch, ¨e
das Gefängnis, -se
die Geiselnahme, -n

die Geldbuße, -n
die Geldgier
das Gericht, -e
das Gerichtsverfahren, -
das Geständnis, -se
die Haft
die Haftstrafe, -n
die Körperverletzung
die Kriminalität
der Lügendetektor, -en
der Mandant, -en
die Mandantin, -nen
die Menschenwürde
der Mord, -e
das Motiv, -e
die Notwehr
der Prozess, -e
die Rache
der Raub
das Recht, -e
der Richter, -
die Richterin, -nen
die Schmeichelei, -en
die Schuld
der Staatsanwalt, ¨e
die Staatsanwältin, -nen
die Strafe, -n
die Strafmündigkeit
der Straftäter, -
die Straftäterin, -nen
die Tat, -en
der Überfall, ¨e
das Urteil, -e
die Urteilsverkündigung, -en
der Verdacht
der/die Verdächtige, -n
das Verfahren, -
das Verhör, -e
die Vernehmung, -en
der Verteidiger, -
die Verteidigerin, -nen
die Verurteilung, -en
der Zeuge, -n
die Zeugin, -nen

Adjektive/Adverbien

ausgeklügelt
bundesweit
gerecht (un-)
handlich (un-)
irreführend
juristisch
kriminell
scheinheilig
schuldig (un-)
strafmündig
unterprivilegiert
verblüffend
verlässlich

Ausdrücke

Anklage erheben
Aufsehen erregen
den Täter fassen/stellen
die Stirn runzeln
die Wahrheit kommt ans Licht
ein Angebot unterbreiten
eine Gewalttat begehen
einen Kompromiss schließen
einen Prozess gegen jdn. führen
eine Straftat begehen
ein Geständnis ablegen
ein Plädoyer halten
ein Urteil sprechen/fällen
ein Verbrechen begehen
gang und gäbe sein
gegen Tatverdächtige ermitteln
in Schwierigkeiten bringen/geraten
jdm. etwas vor der Nase
  wegschnappen
jdm. etwas zumuten
Rücksicht nehmen auf + *Akk.*
unter Anklage stehen
verantwortlich handeln
vor Gericht gehen/stehen
Zeugen vernehmen
zum Lügner abstempeln
zur Bewährung aussetzen
zur Verantwortung ziehen

7

<u>1</u>   Definitionen → LERNWORTSCHATZ

Die Kursleiterin/Der Kursleiter bringt circa 30 vorbereitete Zettel mit Nomen oder Ausdrücken der Wortschatzseite mit. Die Klasse teilt sich in zwei Gruppen auf. Eine Person aus Gruppe 1 bekommt zwei Minuten lang hintereinander so viele Wörter vom KL gezeigt, wie sie in der Zeit definieren kann. Die eigene Gruppe muss die Wörter erraten, die andere Gruppe darf die Wörter sehen, rät aber nicht mit. Nach zwei Minuten kommt die andere Gruppe an die Reihe. Sieger ist die Gruppe, die die meisten Wörter erraten hat.

zu Seite 79, 1

<u>2</u>   Vermutungen → WORTSCHATZ

Ergänzen Sie in diesem Text passende Wörter.

Warum ist der Mann auf dem Dach?
Also für mich gibt es drei mögliche (0) _Gründe:_ (1) .... der Mann flieht vor jemandem. (2) .... er wird verfolgt und will seine Verfolger dadurch abschütteln, dass er einen sehr schwierigen Fluchtweg wählt.
(3) .... rettet sich der Mann vor einer Gefahr, (4) .... einem Feuer. Der Weg über die Treppe nach unten ist ihm versperrt und es bleibt ihm nur der Weg über das Dach. Als (5) .... wäre noch denkbar, dass es sich um einen Einbrecher handelt. Er will in ein Gebäude oder einen Raum gelangen, die normalerweise verschlossen sind. (6) .... schleicht er sich über das Dach heran. Für diese letzte (7) .... spricht seine dunkle Kleidung. Die tarnt ihn, denn er möchte von anderen nicht gesehen werden.

zu Seite 79, 2

<u>3</u>   Schwarzfahrer → SPRECHEN/SCHREIBEN

Videotipp

Schwarzfahrer

BRD 1992 - Genre: Kurzfilm, schwarz-weiß, 17 Min.
Regie: Pepe Danquart, Kamera: Ciro Capellari
Darsteller: Senta Moira, Jonathan Brasuel, Klaus Tilsner
Ausgezeichnet in Los Angeles mit dem Oscar „Bester Kurzfilm"

ⓐ Sehen Sie sich das Foto an. Was ist hier wohl passiert?

Die Szene spielt vermutlich in ...
Man sieht einen ... und eine ..., die in ...
Der junge Afrikaner ... gerade ..., weil ...
Die ältere Dame hat ihn vielleicht ...

b Wie geht die Geschichte weiter? Stellen Sie Vermutungen an.

Folgendes könnte passieren: ...

c Lesen Sie nun eine kurze Inhaltsangabe des Films und prüfen Sie, ob Ihre Vermutungen richtig waren.

Eine ältere Dame sitzt in der Straßenbahn neben einem Afrikaner. Er ist für sie Zielscheibe ihres Hasses gegen Ausländer und Asylanten. Sie beschimpft ihn ununterbrochen, ohne einen Grund dafür zu haben.
Ein Kontrolleur steigt ein und möchte die Fahrausweise sehen.
Da hat der Afrikaner eine glorreiche Idee. Er nimmt die Fahrkarte der Frau und isst sie grinsend auf. Als der Kontrolleur die Frau um ihr Ticket bittet und diese behauptet, der Schwarze habe es gegessen, macht sie sich lächerlich. Der Kontrolleur glaubt ihr die unplausible Erklärung nicht und fühlt sich auf den Arm genommen. Für ihn steht fest: Er hat die alte Dame beim Schwarzfahren erwischt!

zu Seite 80, 3

__4__   Nomen → WORTSCHATZ

Setzen Sie die folgenden Nomen an die richtige Stelle im Text ein.

Freispruch – Gemälde – Haftstrafe – Komplize – Kunstraubs – Polizei – Richter – Staatsanwalts – Urteilen – Verteidiger

Langjährige Haftstrafen im Kunstraub-Prozess

Wegen des spektakulärsten (0) ....*Kunstraubs*......... der Nachkriegsgeschichte hat das Landgericht Frankfurt zwei Männer zu langen Haftstrafen verurteilt. Ein 31 Jahre alter Kurierfahrer erhielt elf, sein 29-jähriger (1) .... acht Jahre. Die (2) .... sahen es als erwiesen an, dass das Duo im Juli 1994 ein Werk des deutschen Romantikers Caspar David Friedrich und zwei (3) .... des englischen Malers William Turner aus der Kunsthalle Schirn in Frankfurt geraubt hatte. Zu einer zweieinhalbjährigen (4) .... wurde außerdem ein 33 Jahre alter Dreher verurteilt. Er hatte einem verdeckten Ermittler der (5) .... die beiden Turner-Bilder für zehn Millionen US-Dollar zum Kauf angeboten. Mit den (6) .... ging das Gericht noch über die Forderungen des (7) .... hinaus. Die (8) .... hatten auf (9) .... plädiert, weil der Sachverhalt nach ihren Worten nicht aufgeklärt werden konnte.

zu Seite 81, 2

__5__   Wortfelder → WORTSCHATZ

Welches Wort passt nicht? Streichen Sie durch.
Finden Sie für die Wortfelder einen passenden Oberbegriff.

Motiv				
Eifersucht	Haftstrafe	Richter	Verteidigung	Verhaftung
Geldbuße	Bewährung	Zeugen	Körperverletzung	Verhör
Rache	Freispruch	Angeklagte	Kindesmisshandlung	Delikt
Geldprobleme	Geldstrafe	Vertreter	Erpressung	Festnahme
Notwehr	Raub	Staatsanwalt	Betrug	Vernehmung

LEKTION 7

zu Seite 81, 2

__6__ Von der Tat zur Strafe → WORTSCHATZ

Ergänzen Sie passende Nomen. Nehmen Sie den Wortschatz aus Ihrem
Kursbuch zu Hilfe.

Wenn jemand eine (0) *Straftat* .... begeht, dann hat er dafür meist ein Motiv.
Dazu gehören zum Beispiel Rache oder Geldgier. Körperverletzung, Geiselnahme oder gar
Mord sind natürlich besonders schwere (1) .... Bei jugendlichen Straftätern ist (2) .... das häufigste Delikt. Wenn nach einem Verbrechen
der (3) .... nicht gleich gestellt werden kann, ermit-
telt die Polizei gegen Verdächtige. Nach einer Festnahme erhebt die Staatsanwaltschaft
dann (4) ....
Ein Verteidiger wird in dem folgenden Strafprozess für den Angeklagten ein
(5) .... halten. In manchen Fällen legt der Angeklagte ein
(6) .... ab, um eine mildere Strafe zu erhalten. Nachdem der Richter
den Angeklagten und alle (7) .... vernommen hat, muss er ein Urteil
sprechen. Ist der Angeklagte nach Meinung des Richters unschuldig, endet der Prozess mit
einem (8) ....
Bei kleineren Delikten steht am Ende des Verfahrens häufig eine (9) .... Im
schlimmsten Fall muss der Angeklagte eine (10) .... verbüßen. Diese
Strafe kann ein Richter jedoch auch zur (11) .... aussetzen. Dann muss
der Verurteilte nicht ins (12) ....

zu Seite 81, 2

__7__ Textpuzzle → LESEN

a Bilden Sie Vierergruppen. Lesen Sie die folgenden Textteile eines
Zeitungsberichts und bringen Sie sie in die richtige Reihenfolge.

☐
Andreas hat nämlich seit vergangenem Som-
mer immer wieder Autos – mit Vorliebe
Lkws – gestohlen und damit gefährliche
Fahrten über die Autobahnen unternommen.

☐
Nachdem die Polizei den 13-Jährigen bei
seiner vorläufig letzten Spritztour mit einem
gestohlenen Lastwagen aufgegriffen hatte,
wurde der Junge in eine psychiatrische Ein-
richtung gebracht.

☐
Das Jugendamt wolle nun versuchen,
zusammen mit der Familie pädagogische
Therapie-Angebote zu finden.

☐
Ein Sprecher der Klinik teilte mit, dass das
Familiengericht die Unterbringung auf An-
trag des Vaters verfügt habe.

1
**Ein 13 Jahre alter Autonarr aus Monheim
wurde in die Psychiatrie eingewiesen.**

b Jede Gruppe sucht nun selbst einen Zeitungsbericht zum Thema „Kriminalität"
aus deutschsprachigen Zeitungen oder lässt sich von der Kursleiterin / vom Kursleiter
jeweils einen mitbringen. Die Kursleiterin / Der Kursleiter kopiert die Artikel für
die anderen Gruppen. Jede Gruppe zerschneidet nun die Kopien „ihres" Artikels
in mehrere Teile.

c Die anderen Gruppen erhalten jeweils die Schnipsel eines Artikels und bringen
diese in die richtige Reihenfolge. Die Gruppe, die als erste den Originaltext gefunden
hat, erhält einen Punkt. Gewonnen hat die Gruppe mit den meisten Punkten.

LEKTION 7

zu Seite 83, 5

P 8   Welches Wort passt? → LESEN

Wählen Sie jeweils das richtige Wort.

Hilfestellung mit strenger Hand
In Rummelsberg sollen jugendliche Täter Halt finden

Beim gemeinsamen Mittagessen in der Gruppe fehlt einer. Der 14-jährige Martin liegt nach einem Tritt in den Bauch in der Klinik. Nahe der Pädagogisch-therapeutischen Intensivabteilung (PTI) hat ihn ein Gleichaltriger im (0)..*Streit*... um Zigaretten brutal zusammengeschlagen. Faustrecht und Gewalt sind fast allen 25 Kindern und Jugendlichen im Alter von zwölf bis 18 Jahren in der PTI (1). „Wir haben Brandstifter, Räuber, Vergewaltiger und Diebe", sagt PTI-Leiter Hanns Rinke. PTI ist ein anderer Name für die härteste Maßnahme gegenüber (2) Jugendlichen, das geschlossene Heim.

Es herrschen strenge Sitten. Schon für Zwölfjährige gibt es (3), einen minuziös festgelegten Tagesablauf und einen Katalog von Strafen bis hin zur Isolierzelle. Das ist die eine Seite. Viel Hilfe, intensivste psychologische und schulische Betreuung durch nicht weniger als 33 Fachkräfte, (4) denen es keinen einzigen „Wärter" gibt – das ist die andere Seite der Anstalt.

Rinkes Formel für die (5) der Jugendlichen, die voller Aggressionen und Komplexe stecken: Zuwendung und eine konsequente Hand.

„Heimfahrtsperre ist schlimmer als Isolierung", ruft beim Essen der 15-jährige Ralph. Seit drei Jahren ist er hier und hat inzwischen die höchste Stufe der Freiheit (6): drei Stunden täglich und einmal wöchentlich sogar abends Ausgang, zudem ist er einmal im Monat am Wochenende zu Hause.

„Ich hab' viel Mist gebaut", gibt Sven zu: Autoknacken (7) Schulbesuch, Angriffe auf Lehrer und Schüler. Aus vier Heimen war der blonde Junge schon rausgeflogen, bevor ihn das Jugendamt für die PTI vorschlug.

Von den rund zehn Quadratmeter kleinen Einzelzimmern bis ins Klassenzimmer sind es nur ein paar Schritte. Der in anderen Heimen sonst so problematische Schulweg (8) keine Chance zum Ausreißen. An den Tafeln erwarten jeweils zwei Lehrer ihre Klassen, die wegen der (9) der Jungs höchstens sieben Schüler umfassen. Der enorme (10) an Sozialpädagogen, Psychologen und Lehrern schraubt die Kosten für einen Tag im Heim auf 225 Euro, das sind mehr als 6000 Euro im Monat.

0	A)	Spiel
	B)	Streit
	C)	Handel
	D)	Konflikt

1	A)	unbekannt
	B)	beliebt
	C)	vertraut
	D)	neu

2	A)	straffreien
	B)	bestraften
	C)	strafbaren
	D)	straffälligen

3	A)	Freiheitsentzug
	B)	Freiheit
	C)	Belohnung
	D)	Lösegeld

4	A)	mit
	B)	zu
	C)	unter
	D)	bei

5	A)	Verbesserung
	B)	Besserung
	C)	Veränderung
	D)	Verantwortung

6	A)	gefunden
	B)	bezogen
	C)	erlangt
	D)	erzwungen

7	A)	mit
	B)	ohne
	C)	für
	D)	statt

8	A)	bietet
	B)	erlaubt
	C)	stellt
	D)	bereitet

9	A)	Lernbereitschaft
	B)	Motivation
	C)	Lerndefizite
	D)	Lernerei

10	A)	Faktor
	B)	Aufwand
	C)	Verbrauch
	D)	Erfolg

LEKTION 7

zu Seite 83, 5

9 Nomen–Verb–Verbindungen → WORTSCHATZ/GRAMMATIK

Ergänzen Sie jeweils das passende Verb in der richtigen Form.

Kinder, die mit dem Gesetz in Konflikt (0) ......*geraten*...... , leben häufig in einem schwierigen sozialen Umfeld und haben sowohl zu Hause als auch in der Schule viele Probleme. Eltern und Lehrer sollten auf die jungen Menschen mehr Rücksicht nehmen und sich Mühe (1) .... , das Vertrauen der Kinder zu erobern. Andernfalls könnte kriminelles Verhalten der Kinder die Folge (2) .... Sind Kinder und Jugendliche verhaltensauffällig, so sollte man sich frühzeitig Gedanken (3) ...., wie man ihnen helfen bzw. größeren Problemen vorbeugen kann. Bei der ersten kriminellen Tat, wie beispielsweise Laden-diebstahl, (4) .... man in der Regel noch die Möglichkeit, die Jugendlichen wieder auf den „richtigen" Weg zu bringen. Meist wollen sie mit ihren „Taten" einfach Aufmerksamkeit (5) .... Pädagogische Einrichtungen müssen Angebote zur Freizeitgestaltung für Jugendliche (6) .... Natürlich müssen dafür auch genü-gend Fachkräfte zur Verfügung (7) .... Gerade in Form von körperlichen oder gestalterischen Aktivitäten wie Breakdance oder Theaterspielen kann man innere Spannungen und Konflikte zum Aus-druck (8) .... Da solche Beschäftigungen meist auch viel Spaß machen, sollten derartige Projekte mehr Beachtung und Unterstüt-zung (9) .... Dann könnten immer mehr junge Menschen davon Gebrauch (10) ....

bringen
erregen
finden
geben
~~geraten~~
haben
machen (2x)
sein
stehen
unterbreiten

zu Seite 83, 5

10 Sätze mit Nomen–Verb–Verbindungen → GRAMMATIK

Setzen Sie die folgenden Nomen–Verb–Verbindungen an den passenden Stellen ein.

in Angst versetzen – Aufsehen erregen – Abschied nehmen – infrage kommen – sich Gedanken machen – in Erstaunen versetzen – die Folge sein – zum Ausdruck bringen –

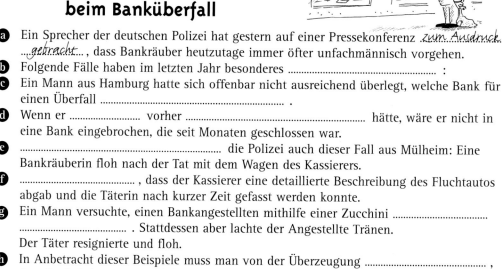

„Kleine" Missgeschicke beim Banküberfall

ⓐ Ein Sprecher der deutschen Polizei hat gestern auf einer Pressekonferenz *zum Ausdruck* ...*gebracht*... , dass Bankräuber heutzutage immer öfter unfachmännisch vorgehen.

ⓑ Folgende Fälle haben im letzten Jahr besonderes .... :

ⓒ Ein Mann aus Hamburg hatte sich offenbar nicht ausreichend überlegt, welche Bank für einen Überfall ....

ⓓ Wenn er .... vorher .... hätte, wäre er nicht in eine Bank eingebrochen, die seit Monaten geschlossen war.

ⓔ .... die Polizei auch dieser Fall aus Mülheim: Eine Bankräuberin floh nach der Tat mit dem Wagen des Kassierers.

ⓕ .... , dass der Kassierer eine detaillierte Beschreibung des Fluchtautos abgab und die Täterin nach kurzer Zeit gefasst werden konnte.

ⓖ Ein Mann versuchte, einen Bankangestellten mithilfe einer Zucchini .... Stattdessen aber lachte der Angestellte Tränen. Der Täter resignierte und floh.

ⓗ In Anbetracht dieser Beispiele muss man von der Überzeugung .... , dass Bankräuber stets wohlüberlegt handeln.

LEKTION 7

zu Seite 83, 5

__11__ Nomen–Verb–Verbindungen → GRAMMATIK

Drücken Sie folgende Nomen-Verb-Verbindungen mit Verben aus.
Beispiel: Der Dieb hat sich bei der Festnahme nicht zur Wehr gesetzt.
  = Der Dieb hat sich bei der Festnahme nicht gewehrt.

a Die neuen Regelungen im Jugendstrafrecht finden schon seit Januar Anwendung.

b Man hofft, dass viele straffällige Jugendliche durch therapeutische Maßnahmen zur Vernunft kommen.

c Einige Fälle von gelungener Resozialisierung haben Therapeuten und Richter bereits in Erstaunen versetzt.

d Auch strafunmündige Kinder bzw. deren Eltern können einen Antrag auf diese Hilfsmaßnahmen stellen.

e Dabei stehen mehrere Möglichkeiten, wie Gesprächs-, Spiel- oder Verhaltenstherapie, zur Auswahl.

f Über den therapeutischen Nutzen anderer Methoden, wie zum Beispiel Abenteuerurlaub mit jugendlichen Straftätern, liegen einige Fachleute im Streit.

g Auch in Zukunft wird man sich über weitere geeignete Methoden Gedanken machen.

zu Seite 83, 5

__12__ Arbeit mit dem Wörterbuch → GRAMMATIK/WORTSCHATZ

a Suchen Sie, auch mithilfe eines einsprachigen Wörterbuchs, möglichst viele Nomen-Verb-Verbindungen mit den Nomen in der linken Spalte. Welche unterschiedlichen Bedeutungsaspekte wie aktiv, passiv, Beginn, Dauer oder Ende einer Handlung werden hier deutlich? Siehe auch Kursbuch Seite 90/2.

Nomen	mögliche Nomen-Verb-Verbindung	Bedeutungsaspekt
Anwendung		
Bewegung	in Bewegung bringen	aktiv, Beginn einer Handlung,
	in Bewegung kommen in Bewegung sein sich in Bewegung setzen	Beginn einer Handlung ...
Einfluss		
Entscheidung		
Frage		
Gefahr		
Streit		
Zusammenhang		

AB 79

ⓑ Bilden Sie mit einigen dieser Ausdrücke Sätze.

Beipiele: *Die Arbeiter haben mit ihren Protestaktionen einiges
in Bewegung gebracht.*

*Nach einem zweistündigen Aufenthalt setzte sich der Bummelzug
langsam wieder in Bewegung.*

zu Seite 85, 3

13 Text umschreiben → SCHREIBEN

Machen Sie aus den Sätzen unten einen zusammenhängenden Text.
Verwenden Sie dazu mindestens fünf der folgenden Wörter.

> aber – allerdings – anschließend – dabei – dadurch – denn –
> deshalb – ~~dort~~ – jedoch – und zwar – und

ⓐ Zwei Männer treffen sich in einer Kneipe.

ⓑ Sie spielen am Spielautomaten, trinken Bier.
Dort spielen sie am Spielautomaten und trinken Bier.

ⓒ Sie verabreden eine Straftat.

ⓓ Sie wollen das große Geld machen.

ⓔ Ihre Arbeit als Fliesenleger auf einer Baustelle bringt nicht genug Geld.

ⓕ Sie planen eine Erpressung.

ⓖ Sie wollen in einer Supermarktkette Lebensmittel vergiften.

ⓗ Sie wollen bei der Firma fünf Millionen Euro erpressen.

ⓘ Sie wollen sich ins Ausland absetzen.

zu Seite 85, 5

14 Mini-Krimi → LESEN

Lesen Sie den folgenden Krimi und beantworten Sie die Fragen.

Neues Spiel – Neues Glück

„Warum erzählst'n mir das alles?", fragte Kellermaier mit gedämpfter Stimme. „Woher willst'n wissen, [5] dass ich dich nicht verpfeife, eh?"

Er nahm einen Schluck aus seinem Bierglas und ließ fünf weitere Zweieuro- [10] stücke in den Spielautomaten fallen. Die Walzen begannen zu rotieren, SUPER-CHANCE leuchtete hellrot auf, Kellermaier drosch[1] auf die Taste. Hartmann zog an seiner Zigarette und ließ den [15] Rauch langsam und gleichmäßig aus der Nase hervorquellen. Er beobachtete Kellermaiers konzentriertes Gesicht mit dem dunklen Dreitagebart und den vielen eitrigen Pickeln[2]. Aus der Jukebox tönte ein alter Hit von ABBA: Take a Chance on me. Die [20] Walzen stoppten kurz nacheinander. Zitrone – Banane – Kirsche. Hartmann grinste. Der Spielautomat klickerte und eine [25] grüne Leuchtschrift verkündete pulsierend: NEUES SPIEL – NEUES GLÜCK!

Kellermaier guckte Hart- [30] mann herausfordernd an. „Sag?"
Der drückte seine Zigarette aus und fragte ruhig: „Ja oder nein, Ortwin?" Ja oder nein! Ja oder nein! Was für ein Mist, dass es bei wichtigen Entscheidungen immer nur ja oder nein gab. [35] 2,5 Millionen Euro – ja. Fünf Jahre Knast – nein. Hartmann winkte der Wirtin, deutete auf sein Bierglas und zeigte zwei ausgestreckte Finger.

Die Wirtin nickte. „Willst du dein Leben lang
40 auf die Baustelle gehen und abends am Automaten spielen? Kommt doch nix raus dabei, oder?"
Der Automat klickerte. NEUES SPIEL –
NEUES GLÜCK! Kellermaier wusste im
Innersten, dass er sich entschieden hatte. Ein
45 paar Wochen Angst und dann ab in den Süden.
Klassehotel, braungebrannte Frauen mit ultra-
langen Beinen am Pool, Spieltische, Roulette.
Besser, als vierzig Jahre Fliesen zu legen und
dann mit kaputten Gelenken auf Kur zu gehen.
50 Aber wenn die Sache schiefgeht? Es könnte ja
jemand ins Gras beißen³. Weiß der Teufel, ob
die von der Supermarktkette das Zeug schnell
genug aus den Regalen holen. Das wäre dann
lebenslänglich. Kellermaier wurde flau im
55 Magen. Er lehnte sich mit dem Kopf gegen den
Spielautomaten und schloss für einen Moment
die Augen.
„Eins muss hundert Prozent klar sein, Olaf: Es
darf keiner draufgehen⁴, verstehst du?" Er öffne-

te die Augen und zuckte zusammen. Die Wirtin 60
stand neben ihnen und tauschte die beiden leeren
Biergläser gegen volle aus.
„Draufgehen?", fragte sie irritiert. Hartmann
zündete sich gelassen eine neue Zigarette an und
pustete das Streichholz aus. 65
„Keine Panik! Wir planen nur 'nen Banküber-
fall", sagte er und grinste.
„Ach so! Und ich hab gedacht, es wär was Erns-
tes!", kicherte sie und verschwand in Richtung
Tresen⁵. 70
Hartmann nahm ein Bier und reichte es Keller-
maier. „Setz dich her, Ortwin", sagte er.
Ein verflucht harter Hund, dachte Kellermaier.
Nerven wie Drahtseile. Der weiß, wie man die
Sache abzieht. 75
„Und wie kriegen wir die Übergabe geregelt,
eh?"
Der Automat klickerte. NEUES SPIEL –
NEUES GLÜCK!

¹ dreschen = hauen, schlagen   ³ ins Gras beißen = sterben   ⁵ Tresen = Bar
² Pickel = Hautausschlag   ⁴ draufgehen = sterben

a Wo befinden sich die Personen?

b Was tun sie, während sie miteinander reden?

c Was erfahren wir über ihre Arbeit?

d Wovon träumen sie?

e Was für eine Straftat planen sie?

f Wie geht die Geschichte weiter? Was wird aus Kellermaier und Hartmann?

---

zu Seite 87, 3

15 Lügen → WORTSCHATZ

Ordnen Sie die Verben nach der „Schwere des Vergehens".

schummeln – betrügen – jemandem einen Bären aufbinden – jemanden in die Irre
führen – flunkern – eine Ausrede gebrauchen – jemanden hintergehen – Ausflüchte
suchen

eventuell noch akzeptabel	nicht mehr akzeptabel
schummeln	betrügen

---

zu Seite 87, 4

16 Vorfeld und Nachfeld → GRAMMATIK

Variieren Sie die Sätze so, dass Vorfeld bzw. Nachfeld betont werden.

Vorfeld	Position 2 Verb 1	Mittelfeld	Verb 2	Nachfeld
Eine der unangenehms-ten Begleiterscheinun-gen der Lüge	dürfte	Stress	sein.	...
Stress	dürfte	eine der ...	sein.	

ⓐ Die Vorstellung von einer unsicheren Stimme oder einem besonderen Gesichtsausdruck beim Lügen ist irreführend. (Vorfeld)

ⓑ Kleine Lügen können manchmal im Umgang mit anderen sehr wichtig sein. (Nachfeld)

ⓒ Die Gründe für so manche Schummelei lassen sich nicht immer einfach erklären. (Vorfeld)

ⓓ Die neuesten Ergebnisse der Lügenforschung sind verblüffend. (Vorfeld)

ⓔ Der Mensch kann fast alles außer der inneren Erregung kontrollieren. (Nachfeld)

ⓕ Der Herzschlag und die Atmung werden mit dem Polygrafen gemessen. (Vorfeld)

zu Seite 89, 4

<u>17</u>   Lügendetektoren → LESEN/WORTSCHATZ
Ergänzen Sie die fehlenden Wörter aus dem Kasten.

Lügendetektoren

Seit zwei bis drei Jahren wollen Richter und (0) .... *Psychologen* ....
immer häufiger durch Lügendetektoren der Wahrheit auf den Grund
kommen. Dabei geht es beispielsweise um (1) .... eines
achtjährigen Jungen geschiedener Eltern, der vor der Mutter behauptete, sein
Vater würde ihn misshandeln. Die Mutter verbot daraufhin dem Vater, seinen
Sohn zu sehen, und wollte ihm (2) .... entziehen.
Die Sache ging (3) .... Der Vater stritt alle
Vorwürfe ab. (4) .... war sehr unklar und auch
(5) .... war ratlos, da ihm der Vater im Grunde
glaubwürdig schien. Da kam ihm die Idee, (6) .... des
Vaters, falls dieser einverstanden war, mit einem Lügendetektor über-
prüfen zu lassen. Der Vater akzeptierte.
Auf gezielte Fragen zu (7) .... antwortete er, während
ein Ring um den Brustkorb, ein Blutdruckmessgerät und Elektroden an
den Fingern (8) .... sammelten über Puls, Blutdruck,
Hautfeuchtigkeit und Atemfrequenz.
Es stellte sich heraus, dass der Vater (9) .... sagte.

> die Angelegenheit
>
> die Aussage
>
> Daten
>
> den Fall
>
> vor Gericht
>
> ~~Psychologen~~
>
> der Richter
>
> das Umgangsrecht
>
> den Vorwürfen
>
> die Wahrheit

zu Seite 89, 4

<u>18</u>   Multiple-Choice → LERNTIPP

Wie gehen Sie am besten mit Multiple-Choice-Aufgaben um? Bilden Sie eine sinnvolle
Reihenfolge und erläutern Sie.

☐ Schon vor dem Lesen der vier Antwortmöglichkeiten prüfen, ob man eine Lösung weiß.

☐ Die Aufgaben genau lesen und Schlüsselwörter mit Bleistift markieren.

☐ Die einfachen Aufgaben schon beim ersten Hören lösen.

☐ Die Unterschiede in den vier Antwortmöglichkeiten unterstreichen.

☐ Eine Antwort ankreuzen, auch wenn man nicht sicher ist.

☐ Schwierige Aufgaben erst mit Bleistift lösen, später überprüfen.

Gedicht hören

1

LERNER-CD 4

Hören Sie ein Gedicht von Kurt Sigel.

Hast du was

Hast du was bist du was
hast du nichts bist du nichts
hast du was und bist du nichts
bist du blöd

bist du blöd und hast du was
bist du auch was
hast du nichts und bist du was
wie machst du das?

Flüstern

2

LERNER-CD 5

a Hören Sie die erste Strophe des Gedichts noch einmal. Was ist der Unterschied?

b Flüstern Sie einen der folgenden Sätze so, dass er von entfernt Sitzenden noch verstanden wird.

- Den Leuten geht es einfach zu gut heute.
- Warum? Das will ich Ihnen gern erklären.
- Schauen Sie, ich bin jetzt zwanzig Jahre im Geschäft.
- Ich hatte noch nie etwas mit der Polizei zu tun, ehrlich wahr.

Diktat

3

Diktieren Sie Ihrer Lernpartnerin / Ihrem Lernpartner Teil **a** oder Teil **b**. Flüstern Sie. Wer das Diktat schreibt, schließt das Buch. Korrigieren Sie sich gegenseitig.

a Was mir meine Mitarbeiter in der letzten Zeit so anschleppen.
Werfen Sie doch mal einen Blick in den Hof hinaus.
Da unter der Plane steht eine Sportjacht.

b Können Sie mir verraten, wie ich das Ding unbemerkt weiterverkaufen soll?
Die Leute sammeln eben keine Briefmarken mehr.
Den Leuten geht es einfach zu gut heutzutage.

LEKTION 7 – *Lernkontrolle*

Lernkontrolle: Was haben Sie in dieser Lektion gelernt?

Kreuzen Sie an.

Rubrik	Handlungen	gut	besser als vorher	möchte ich noch vertiefen
Lesen	■ Stilelemente eines ironischen Kurztextes erkennen und Hauptaussagen entnehmen.	☐	☐	☐
	■ Meinungen zum Thema „Strafmündigkeit" analysieren.	☐	☐	☐
	■ Einer Kurzreportage aus dem Internet zum Thema „Lügen" Informationen entnehmen und diese in einer Textzusammenfassung ergänzen.	☐	☐	☐
Hören	■ Einem Radiobericht zum Thema „Lügendetektoren" Hauptaussagen und Einzelheiten entnehmen.	☐	☐	☐
Schreiben – Produktion	■ Anhand von Bildern und Leitfragen eine kurze Kriminalgeschichte verfassen.	☐	☐	☐
Sprechen – Produktion	■ Informationen und Statements in Form eines Kurzvortrags zum Thema „Strafmündigkeit" abgeben.	☐	☐	☐
Wortschatz	■ Begriffe und Redewendungen aus dem Wortfeld „Recht und Kriminalität" präzise und differenziert einsetzen.	☐	☐	☐
Grammatik	■ Feste Verbindungen von Nomen und Verben richtig bilden und einsetzen.	☐	☐	☐

Sprechen Sie mit Ihrer Kursleiterin / Ihrem Kursleiter über das Ergebnis.
Sie/Er wird Ihnen Tipps zum Weiterlernen geben.

Verben

anreichern mit + *Dat.*

ausgestattet mit + *Dat.*

ausgezeichnet mit + *Dat.*

austragen

auszeichnen mit + *Dat.*

behandeln

bekämpfen

bewirken

dokumentieren

dosieren

einpflanzen in + *Akk.*

einsetzen

entwickeln

experimentieren mit

heilen

klonen

kreieren

leiden an + *Dat.*

löschen

patentieren lassen

schützen vor + *Dat.*

verabreichen

verschreiben

vorbeugen

zeugen

zweckentfremden

Nomen

die Abhandlung, -en

das Anwendungsgebiet, -e

die Architektur

die Aufzeichnung, -en

die Auswirkung, -en

die Betriebswirtschaft

die Biochemie

die Elektrotechnik

der Entdecker, -

die Entwicklung, -en

die Erfindung, -en

das Experiment, -e

die Expedition, -en

der Fall, ⸚e

die Formel, -n

der Forscher, -

die Forscherin, -nen

die Forschung, -en

der Fortschritt, -e

das Gefäß, -e

das Gehäuse, -

die Geisteswissenschaft

das Gel, -s

die Gentechnik

die Geowissenschaft

die Grenze, -n

das Grundprinzip, -ien

die Heilkunde

das Hinterteil, -e

die Hygiene

die Informatik

die Lehre, -n

der Magnet, -e

das Manuskript, -e

die Nebenwirkung, -en

der Nobelpreis, -e

das Organ, -e

die Pädagogik

das Patentamt, ⸚er

die Pharmaindustrie

die Pharmazie

die Philosophie

die Physik

die Sozialwissenschaft

die Schicht, -en

die Strahlung

der Streifen, -

die Studie, -n

die Theologie

die Tube, -n

das Verfahren, -

die Vernichtung

der Versuch, -e

der Wirkstoff, -e

der Wissenschaftler, -

die Wissenschaftlerin, -nen

Adjektive / Adverbien

atomar

bewusst (un-)

biegsam

dosiert

eingängig

funktionstüchtig

giftig (un-)

hölzern

immerhin

immun

weltweit

Ausdrücke

alles auf eine Karte setzen

an ein Wunder grenzen

auf den Markt bringen

aus dem Rahmen fallen

der Zufall will es, dass ...

die Rede sein von + *Dat.*

einen Versuch durchführen

eine Wende einleiten

ein Medikament einnehmen/
    verschreiben/verabreichen

ein Verfahren entwickeln

hellhörig sein

in vollem Gange sein

jemandem/etwas den Rang
    ablaufen

jemandem gelingt ein Wurf

jemanden zum Leben erwecken

nicht wegzudenken sein

seinen Schrecken verlieren

Verantwortung tragen

wie Schuppen von den
    Augen fallen

8

LEKTION 8

1 **Redewendungen** → LERNWORTSCHATZ

Ergänzen Sie die Verben aus der Spalte *Ausdrücke*.

< ablaufen – bringen – erwecken – fallen – grenzen – gelingen – tragen – verlieren

a Wissenschaftlern .... es noch nicht, tiefgefrorene Lebewesen wieder zum Leben zu erwecken.

b Dass dieses Experiment glückte, ... fast an ein Wunder.

c Der Forscher wollte nicht den Eindruck ...., alle Rätsel entschlüsselt zu haben.

d Die Biowissenschaften .... den anderen Naturwissenschaften in der Beliebtheit bei Studenten den Rang ....

e Die Ergebnisse der neuesten Untersuchung .... völlig aus dem Rahmen.

f Die Firma möchte eine Sammelkarte der DNA verstorbener Stars auf den Markt ....

g Den Schweizer Dramatiker Friedrich Dürrenmatt beschäftigte die Frage, welche Verantwortung Wissenschaftler für ihre Erfindungen ....

h Obwohl die Krankheit Polio fast ausgestorben ist, hat sie ihren Schrecken noch nicht ganz ....

8

zu Seite 93, 2

2 **Feste Verbindungen** → GRAMMATIK

Ergänzen Sie die Präpositionen.

a .... dieses Thema streiten sich die Parteien bereits seit Jahren. Sie suchen verzweifelt .... einer Lösung. Ihre Erfolglosigkeit ist verantwortlich da............................, dass immer mehr Menschen sich von der Politik abwenden.

b Regelmäßige Bewegung schützt unseren Körper .... Krankheit. Außerdem sorgt Bewegung auch .... gute Laune. Wir experimentieren seit einiger Zeit .... einer neuen Art von Training, das auch für weniger sportliche Menschen gut geeignet ist.

c Dieser Forscher wurde in diesem Jahr bereits zum zweiten Mal .... einem wichtigen Preis ausgezeichnet. In seinen Experimenten beschäftigt er sich .... einer bestimmten Fischsorte. Diese erweist sich .... äußerst gesund.

zu Seite 93, 3

3 **Internetrecherche** → LESEN/SPRECHEN

a Wählen Sie eine Erfindung, mit der Sie sich intensiver beschäftigen möchten.

b Geben Sie Ihren Begriff in eine Suchmaschine ein und sammeln Sie bei den angegebenen Fundstellen Informationen.

c Stellen Sie für die anderen Kursteilnehmer ein Blatt mit den wissenswerten Daten zusammen und verteilen Sie diese.

d Stellen Sie Ihre Erfindung und den Erfinder im Kurs als Kurzreferat vor. Verwenden Sie dabei die nebenstehenden Redemittel:

Ich möchte Ihnen/euch heute eine der wichtigsten Erfindungen der letzten Jahrhunderte/Jahrzehnte/Jahre/ Monate vorstellen.
Es handelt sich um ein(e) ...
Mit diesem Apparat kann man ...
Das erleichtert unseren Alltag ganz erheblich.
Wenn man zum Beispiel daran denkt, wie ...
Der/Die/Das ... ist nach meiner Einschätzung auch in Zukunft sehr wichtig.
Wahrscheinlich werden wir alle bald ...

LEKTION 8

zu Seite 93, 3

4 Diskussionsbeiträge in einer Projektsitzung → SPRECHEN

Jemand an Ihrem Kursort hat einen sogenannten Korrekturautomaten für Sprachenlerner erfunden. Sie sollen über den Sinn und Nutzen dieser Erfindung eine Diskussion führen.

a Lesen Sie die Beiträge. Wer sagt das wohl?

die Projektmanagerin, die die Sitzung leitet – der Leiter der Abteilung Forschung und Entwicklung – ein Kollege aus einer anderen Abteilung – der Mitarbeiter, der die Idee hatte – die Marketingchefin, die das Produkt verkaufen muss

b Verteilen Sie dann die Rollen der Befürworter und Gegner dieses Apparates und spielen Sie anschließend die Diskussion.

A Die Idee ist bestechend. Wenn das Programm wirklich intelligent ist und den Schülern genau an den Stellen weiterhilft, wo sie Probleme haben, dann wird sich dieses Produkt mit Sicherheit auf dem Markt durchsetzen.
.... *Marketingchefin* ....

B Ich kann mir nicht vorstellen, dass ein solcher Automat den Schülern wirklich hilft weiterzukommen. Ich fürchte, die Eltern werden schnell erkennen, dass ihre Kinder mit dem Automaten noch fauler werden, als sie sowieso schon sind.
....

C Liebe Kolleginnen und Kollegen, den Projektantrag „Korrekturautomat" haben Sie alle gelesen. Ich darf Sie also bitten, sich kurzzufassen und Ihren Standpunkt darzulegen. Herr Meier, vielleicht könnten Sie uns noch einmal knapp erläutern, warum Sie dieses Produkt entwickeln wollen.
....

D Kaum ein Schüler wird heutzutage mit den Hausaufgaben alleine fertig. Unser Korrekturautomat sollte dieses Problem lösen. Er kontrolliert und korrigiert z.B. fremdsprachliche Texte, kann sie verbessern oder sogar nach Stichworten schreiben.
....

E Unsere Analyse hat ergeben, dass es noch kein vergleichbares Produkt auf dem Markt gibt.
....

zu Seite 94

5 Texte umschreiben → LESEN/SCHREIBEN

Lesen Sie die Presseberichte in der linken Spalte und ergänzen Sie danach die Texte in der rechten Spalte so, dass sie als Werbetext für die Firmen *Florigene* und *Geneti-Pet* verwendet werden können. Nehmen Sie dazu die Informationen der Zeitungsberichte in der linken Spalte zu Hilfe.

Nelken, die nicht welken

Unendlich sollen sie blühen und in den schillerndsten Farben strahlen. Eine Manipulation am Erbgut von Schnittblumen kann diese Verbraucherwünsche nun erfüllen. Der australische Blumen-Riese Florigene führte erfolgreich ein Gen in Nelken ein und blockte damit das Reifehormon Ethylen. Mit dem kleinen Eingriff, so die Firma, bleiben die Blumen in der Vase doppelt so lang frisch. Florigene beschränkt sich ganz auf die meistverkauften Sorten: Rosen, Chrysanthemen und Nelken.

Florigene

- Eine gute Nachricht für
  .... *Blumenfreunde:* .... Rosen, Tulpen, Nelken, alle Blumen welken. Dieses deutsche Sprichwort muss ...
- Denn zum ersten Mal ist es gelungen, ...
- Dazu nutzt unser Unternehmen die neuesten ...
- Durch einen Eingriff in das Erbgut ...
- Das freut nicht nur unsere Firmenkunden, sondern ...

Haustiere, die wiedergeboren werden

Ob sich diese Investition lohnt, ist äußerst fragwürdig: Etwa 100 Dollar verlangt die US-Firma Geneti-Pet pro Jahr als Miete für die Tiefkühllagerung der Blutzellen von verstorbenen Hunden, Katzen, Hasen und sogar Lamas. Die Firma wirbt damit, dass in spätestens zehn Jahren die Gentechnik so weit sein wird, dass man das geliebte Haustier aus der DNS im Blut neu zeugen kann. Eine Garantie gibt die Firma nicht. Allein die Hoffnung nährt den Umsatz: Fast 200 Blutproben lagern bereits bei minus 150 Grad.

Geneti-Pet
- Für viele Mitmenschen ist der Verlust des geliebten Tieres ...
- Geneti-Pet bringt diesen Menschen ...
- Schon bald wird es möglich sein, ...
- Dazu frieren wir einige Blutzellen des Tieres ...

---

zu Seite 95, 3

6 Verben → WORTSCHATZ

Ergänzen Sie die Verben rechts in der richtigen Form.

a Der Arzt ....*untersuchte*........ den Patienten und .... ihm anschließend ein Medikament.

b Wissenschaftler versuchen, das Aids-Virus zu ....

c Durch die Chemotherapie wurde er vom Krebs ....

d Pharmakonzerne lassen ein neues Medikament immer .... , bevor sie es auf den Markt bringen.

e Die Studie muss zuerst .... werden, bevor wir Genaueres wissen.

f In den letzten Jahren ist die Zahl der Aids-Infizierten gestiegen. Dies .... eine wissenschaftliche Studie.

g Leonardo da Vinci .... den Bau des menschlichen Körpers genau.

h Der Forscher musste mehrere Experimente .... , um seine These zu beweisen.

> abschließen
> bekämpfen
> dokumentieren
> durchführen
> heilen
> patentieren
> studieren
> untersuchen
> verschreiben

---

zu Seite 95, 3

7 Nomen → WORTSCHATZ

Ergänzen Sie die Nomen rechts.

a Nach einer langen und schweren ....*Krankheit*........ starb er.

b Dem .... wurde ein Medikament verabreicht.

c Der Chemiker machte ein ...., das mit einer Explosion endete.

d Die Ergebnisse des Blut-...................................... haben gezeigt, dass der Patient Diabetes hat.

e In einer wissenschaftlichen .... mit Testpersonen fand man heraus, dass Placebos (Scheinmedikamente) vielen Patienten beim .... helfen.

f Dieser .... ist einzigartig in der Geschichte der Medizin.

g Die Dosierung des .... steht genau auf dem Beipackzettel.

> Experiment
> Fall
> Heilungsprozess
> Krankheit
> Medikaments
> Patienten
> Studie
> Tests

LEKTION 8

__8__   Textpuzzle → **LESEN**

ⓐ Ordnen Sie die Sätze ⒈ bis ⒋
den Abschnitten A bis D zu.

Transkription

Sehr verehrte Damen, sehr geehrte Herren,

2 | A **S**eit Monaten brodelt nun schon die Gerüchte-
küche um ein neues Medikament aus unse-
rem Hause. Die Neugier ist immens, doch unsere Geheimhaltung war besser. Und so sind Sie
heute, meine Damen und Herren, die Ersten,
denen wir „Präparat X" vorstellen.

B **N**ur ein Bereich blieb ihrem segensreichen
Wirken weiter gänzlich verschlossen: die
menschliche Intelligenz. Gegen Dummheit –
so klagt das Sprichwort – kämpfen selbst Götter vergebens. Nun, die Götter mögen beruhigt
sein: Dieser Spruch wird nur noch ein paar
Monate lang Gültigkeit besitzen. Denn dann
werden wir die Marktzulassung für unser neues Medikament INTELLISAN haben.

C **I**NTELLISAN wird die Welt verändern. Unsere
Testreihen mit Versuchspersonen haben ergeben: INTELLISAN steigert die menschliche
Intelligenz schon nach einwöchiger Anwendung
um bis zu 40 %. Noch bessere Resultate wurden
mit dem höher dosierten INTELLISAN FORTE
erzielt. Patienten mit einem IQ von unter 70 waren nach einer Behandlung mit INTELLISAN
FORTE in der Lage, Einsteins Relativitätstheorie
nachzuvollziehen!

D **A**ber ich möchte Herrn Professor Häberlin
nicht vorgreifen. Als Leiter der zuständigen
Forschergruppe wird er Ihnen INTELLISAN
gleich genauer vorstellen.

1
Ich glaube Ihnen nicht zu
viel zu versprechen, wenn
ich sage:

2
Im Namen des Vorstands der
Medipura AG darf ich Sie
sehr herzlich begrüßen zu
unserer Fachtagung „Präparat X – Neue Horizonte der
Pharmazie".

3
Sie merken, ich gerate ins
Schwärmen.

4
Wie Sie alle wissen, hat die
Arzneimittelforschung im
vergangenen Jahrzehnt auf
vielen Gebieten enorme Fort-
schritte gemacht.

ⓑ Halten Sie jetzt vor Ihrer Klasse eine ähnliche Rede zur Eröffnung
einer Fachtagung. Wählen Sie eine der folgenden Produkt-Neuheiten:

■ ein Anti-Falten-Präparat des
Kosmetik-Unternehmens *Laura C.*

■ ein neues Haarwuchs-
mittel der Firma *Trupp*

zu Seite 100, 5

9 Textvergleich → LESEN

Vergleichen Sie die beiden Texte zu dem Medikament Aspirin.
Welche Informationen von Text A finden Sie wo in Text B?
Welche gibt es nur in Text A?

Text A	(1)	(2)	(3)	(4)
Text B	—			

Text A

Die Jahrhundert-Droge

(1) Aspirin: Das Mittel, das jeder im Arzneischrank hat. Zwölf Tabletten für 1,97 Euro.

(2) Ein Medikament für alle Schichten und für (fast) jeden Zweck. Man wirft es ein, wenn man verkatert ist, wenn man Fieber hat oder Rheuma, wenn man an Migräne leidet oder an Schlaflosigkeit. Aspirin bei Grippe, Aspirin bei Schlaganfall.

(3) Aspirin gibt's zum Kauen, als wasserlösliche Sprudeltablette oder zum Schlucken mit Wasser.

(4) Aspirin für Kinder, Aspirin für Alte. Ein, zwei Tabletten und der Schmerz hört auf. Wer mehr als vierzig Tabletten auf einmal nimmt, wird mit großer Wahrscheinlichkeit sterben.

Text B

A Anwendungsgebiete: Leichte bis mittelstarke Schmerzen, z. B. Kopfschmerzen, Zahnschmerzen, Entzündungen, Fieber, auch bei Erkältungskrankheiten.

B Gegenanzeigen: Bei Einnahme vor operativen Eingriffen ist der Arzt oder Zahnarzt zu befragen bzw. zu informieren.

C Dosierung: Soweit nicht anders verordnet Erwachsene: Einzeldosis 1–2 Tabletten, Tagesdosis bis 6 Tabletten, Kinder ab 5–9 Jahre: Einzeldosis ½ Tablette, Tagesdosis 1 ½ Tabletten

D Art der Anwendung: Die Tabletten werden mit Flüssigkeit oder in Wasser zerfallen, möglichst nach der Mahlzeit, eingenommen. Es wird empfohlen, reichlich Flüssigkeit (½ bis 1 Glas Wasser) nachzutrinken.

zu Seite 100, 5

10 Lesestrategie → LERNTIPP

Welche Strategie passt zu welchem Text? Ordnen Sie die Begriffe zu und suchen Sie jeweils einen passenden Text aus dem Kursbuch dazu.

< detailliert – global – interpretierend – kursorisch – selektiv

	Strategie	Lektion	Seite
selektiv	gezielt nach Einzelheiten suchen und lokalisieren	6, 8	71, ...
	verstehen, was „zwischen den Zeilen" ausgedrückt ist	7	
	sich einen Überblick über den Text verschaffen	7	
	alles (oder fast alles) im Text genau lesen	7, 9	
	Hauptinformationen entnehmen	8	

LEKTION 8

zu Seite 100, 6

11 Temporale Präpositionen → GRAMMATIK

Ergänzen Sie die fehlenden Präpositionen und Artikel. Manchmal passen mehrere.

a Ich wollte das Experiment ....*übers*........ Wochenende abschließen.

b Man kann nicht wissen, wie weit die Gentechnologie .... zehn Jahren ist.

c Der Pharmakonzern möchte das Medikament .... Ende dieses Jahres auf den Markt bringen.

d Einstein hat .... 42 Jahren den Nobelpreis bekommen.

e Das Hotel ist .... Wochen ausgebucht.

f .... 10.10.1897 wurde zum ersten Mal Aspirin hergestellt.

g Er arbeitet .... Jahren an einer Studie über Aids.

h Der Computerkurs läuft noch .... 28. Februar.

i Das Ergebnis müsste .... einigen Wochen vorliegen.

j .... absehbarer Zeit wird man als Tourist auf den Mond fliegen können.

k Ich habe .... Montagnachmittag einen Termin beim Zahnarzt.

zu Seite 100, 6

12 Lokale Präpositionen → GRAMMATIK

Ergänzen Sie Präpositionen und Artikel im richtigen Kasus.

a Er arbeitet ....*in einem*.............. supermodernen Labor.

b Aspirin wurde .... Labors der Firma Bayer entwickelt.

c Das Medikament kam schon im vergangenen Jahrhundert .... Markt.

d Ich saß stundenlang .... Computer.

e Sie musste .... Kongress in die USA.

f .... Tagung diskutierten die Teilnehmer neue Therapien.

g Der Kranke wurde .... Operationssaal geschoben.

h Der Chirurg war stundenlang .... Operationssaal.

i Du musst unbedingt endlich .... Arzt gehen.

j Der Vater durfte sein neugeborenes Baby nur .... Fensterscheibe sehen.

k Die Schaulustigen drängten sich .... Verletzten.

zu Seite 100, 6

13 Präpositionen ergänzen → GRAMMATIK

Ergänzen Sie die fehlende Präposition.

a Forscher müssen ....*auf*............. den Millimeter genau arbeiten.

b Ein Chirurg muss .... höchster Konzentration arbeiten.

c Ich bin .... Empfehlung meines Freundes zu Ihnen gekommen.

d Er bleibt .... lauter Ehrgeiz jeden Tag so lange im Büro.

e Ich habe das Buch .... großem Interesse gelesen.

f Der Artikel wurde .... viele Sprachen übersetzt.

g Ich kann den wissenschaftlichen Aufsatz nicht .... Englisch lesen.

h Wir sind .... dritt in den Vortrag gegangen.

i .... Biochemie ist sie einfach unschlagbar.

j Man sucht einen Nachfolger .... den Chefarzt.

k ....hilfe modernster Apparate steigen die Überlebenschancen der Kranken.

l So ein Gerät kostet .... die 10 000 Euro.

zu Seite 100, 6

14 Präpositionen in Texten → GRAMMATIK

Ergänzen Sie in den folgenden Meldungen aus der Rubrik „Neues aus Wissenschaft und Technik" die passenden Präpositionen.

‹ auf – für – in – ~~mit~~ – über – vor – zu

‹ aus – von – bis zu – ~~in~~ – in – mit – um – zur – in – im

‹ auf – bis – für – in – im – übers – unter – zum

Radweg ..*mit*. eingebautem Rückenwind

Das holländische Eindhoven wird .... einem Paradies für Radler: Die Stadt plant einen Radweg, ... dem die Fahrer eine Geschwindigkeit von 40 km/h erreichen können, ohne dafür strampeln zu müssen. Der „Öko-Weg" soll neben oder .... der Autostraße verlaufen. Geplant ist der Weg .... einer durchsichtigen Röhre, die auch .... Regen und Kälte schützt. .... den Bau werden 40 Millionen Euro benötigt.

Problemfresser

Bakterien sollen .....*in*.... Zukunft die Unterhosen .... Weltraumfahrern sowie Müll .... Raumstationen „fressen". Daran arbeiten ....zeit russische Forscher. Abfall sei das dringlichste Problem .... Raumstationen. Ein Astronaut produziere täglich eine Abfallmenge, die .... die neun Liter Stauvolumen .... Anspruch nehme. Um den Müllberg möglichst klein zu halten, seien Weltraumfahrer gezwungen, ihre Unterwäsche .... einer Woche lang zu tragen. Die Moskauer Wissenschaftler rechnen .... einer Fertigstellung des Bakterienmülleimers .... Jahr 2017.

Ein Stück Mond für 19,95 Euro

Für 19,95 Euro kann man ein Grundstück ....*auf*........ dem Mond kaufen. Was bisher nur in den USA möglich war, geht nun auch .... Deutschland, und zwar .... Internet. .... www.mondland.de kann jeder sein eigenes Stück Mond bestellen. .... 24,95 Euro gibt's den Reisepass .... Mond gleich dazu. Daniel Göttlich: „Da die Forschungen und Raumfahrtprogramme schnell voranschreiten, wird es nicht lange dauern, ... die ersten Menschen dort wohnen." Er hat auch Mars und Venus .... Angebot.

zu Seite 100, 6

15 Verben mit festen Präpositionen → GRAMMATIK

Ergänzen Sie die Präpositionen. Manche passen mehrmals.

‹ an – auf – aus – für – ~~in~~ – über – von – vor – zu

a Er irrte sich ....*in*.... der Diagnose.

b Sie leidet fast ständig .... Kopfschmerzen.

c Außerdem berichtet sie .... gelegentlichen Depressionen.

d Das Medikament wurde .... Abfallstoffen hergestellt.

e Zunächst hielt man Heroin .... ein Mittel gegen Husten.

f Auf dem beiliegenden Zettel wird .... die Dosierung hingewiesen.

g Zudem wird .... den Nebenwirkungen des Medikaments gewarnt.

h Die Pharmaindustrie lebt da........................ , Heilmittel zu entwickeln.

i Hoffmann verfügte als Forscher sicherlich .... besondere Fähigkeiten.

j .... dieses Medikament können wir auf keinen Fall verzichten.

k Die Ergebnisse ihrer Forschung lassen sich auch .... andere Gebiete übertragen.

l Zu viel Sonne kann .... Hautkrebs führen.

m .... der Firma Bayer ging einer der größten Pharmakonzerne der Welt hervor.

LEKTION 8

zu Seite 101, 2

16   Pro und kontra: Klonen → LESEN

Ordnen Sie den folgenden Statements die passenden Nomen zu.

- ☐ Auswirkungen
- ☐ Entwicklung
- ☐ Experimente
- ☐ Gefahr
- ☐ Grenze
- ☐ Medizin
- ☐ Nutzen
- ☐ Organe
- ☐ Seiten
- ☑ Wissenschaft
- ☐ Vorstellung

Holger Buchner

Die (1) versucht, Gott zu spielen. Mir macht Angst, dass man bald Menschen künstlich herstellen kann oder darf. Für mich eine schreckliche (2). Die Frage ist doch: Wo ist die ethische (3)? Ich bezweifle, ob die Wissenschaft sich immer bewusst ist, wie weit sie gehen darf.

Maria Schmitt

Das Thema ist zwiespältig. Einerseits können solche Experimente schlimme (7) auf den Umgang mit Menschen haben. Andererseits ist diese (8) für die Medizin sehr wichtig.

Karin Ehrhardt

Die Tatsache, dass man Tiere künstlich herstellen kann, macht mir überhaupt keine Angst. Es gibt schließlich auch positive (4) solcher Forschungen. Zum Beispiel besteht die Möglichkeit, Genmaterial und damit auch (5) zu reproduzieren. Und damit könnte man vielen todkranken Menschen das Leben retten. Das wäre sehr wichtig für die (6).

Ilse Greif

Schon bei Tieren finde ich Klonen nicht angemessen. Ich glaube nicht an den angeblich so großen (9) dieser Forschungsergebnisse. Ich habe große Bedenken, was solche angeblich sinnvollen (10) betrifft. Es besteht eine große (11), dass wir irgendwann den „perfekten" Menschen „produzieren" wollen. Und das ist eine furchtbare Vorstellung.

zu Seite 101, 2

17   Meinungen verstehen → LESEN

a Klären Sie, eventuell mithilfe eines Wörterbuchs, folgende Begriffe:
Retortenbaby, künstliche Befruchtung, Reproduktionsmedizin, geklonte Tiere

b Stellen Sie fest, wie der Autor des Kommentars die folgenden Aspekte beurteilt.

	positiv	negativ/skeptisch
■ neue Verfahren der künstlichen Befruchtung		X
■ den Wunsch, das Klonen von Menschen öffentlich zu diskutieren		
■ die Tatsache, dass es bis zum Klonen von Menschen nur noch ein kleiner Schritt ist		
■ die Darstellung der Reproduktionsmedizin als Kinderwunschmedizin		
■ die Rolle, in die ungewollt kinderlose Paare geraten		
■ andere Wege aus der Kinderlosigkeit, wie z. B. Adoption		

Vom ersten Retortenbaby zum Klonkind
Künstliche Befruchtung ist nach 20 Jahren Normalität, zweifelhafte Verfahren rücken näher *Von Holger Wormer*

Nur auf den ersten Blick haben die beiden Ereignisse nichts miteinander zu tun: Am Samstag feierte Louise Brown, 1978 das erste Retortenbaby, ihren 20. Geburtstag. Zwei Tage zuvor berichteten Forscher in der Fachzeitschrift *Nature* über erfolgreiche Versuche, Mäuse aus einfachen Körperzellen zu klonen.

Damit rückt auch für den Menschen ein weiteres Verfahren näher, auf künstlichem Wege Nachwuchs zu zeugen.

In Deutschland hören Reproduktionsmediziner solche Zusammenhänge nur ungern. Techniken wie das Klonen würden in der Presse überbewertet, heißt es. Als im vergangenen Jahr doch einmal ein Arzt aus ihrer Mitte das Klonen von Menschen öffentlich diskutieren wollte, wurde er scharf angegriffen. Möglicherweise war er jedoch ehrlicher als viele seiner deutschen Kollegen. In den USA etwa hat der Physiker Richard Seed erneut bekräftigt, er wolle mit befreundeten Fortpflanzungsmedizinern eine „Klon-Klinik" eröffnen. Und selbst wenn man Seed für einen Spinner hält: Zumindest ein kleiner Teil jener Paare, die trotz der bereits vorhandenen Reproduktions-Maschinerie unfruchtbar bleiben, würde vielleicht auch vor diesem letzten Versuch nicht zurückschrecken. Unter den von Medizinern allerdings großzügig geschätzten — zwei Millionen ungewollt kinderlosen Paaren in Deutschland ließen sich jedenfalls so viele finden, dass sich das Geschäft für die Kliniken lohnen könnte.

Einzig das hierzulande geltende Verbot des Menschen-Klonens wird dies verhindern können — zumindest vorläufig. Wenn die Methode im Ausland erstmals erfolgreich angewendet wird und sich dort etabliert, könnten auch in Deutschland Forderungen laut werden, dies zu legalisieren. Verfolgt man die Methoden der Reproduktionsmedizin von Louise Brown bis heute, wäre das nur eine logische Folge.

In einer groß angelegten Werbeaktion anlässlich des 20. Geburtstags von Louise Brown bemühen sich die Kliniken hingegen um ein makelloses Image. Die Folgen einer weitreichenden Reproduktionsmedizin, in der sich auch die Selektion nach „wertvollem" und „unwertem" Leben etablieren könnte, bleiben außen vor. Stattdessen taufen die Werbeexperten die Reproduktionsmedizin kurzerhand in „Kinderwunschmedizin" um. Und mit süßen Babys, die dank dieser Technik auf die Welt gekommen sind, ließ sich schon immer gut werben.

Auch erfährt man aus den Werbebroschüren, dass die meisten Paare, „die eine Sterilitätsbehandlung in Anspruch nehmen, unter einem starken Leidensdruck stehen". Tatsächlich aber entsteht dieser Druck oft erst dadurch, dass unfruchtbare Paare von der Gesellschaft und nicht zuletzt von Ärzten für „krank" erklärt werden. Die Adoption als Ausweg aus der Kinderlosigkeit wird mit Verweis auf die hohen Auflagen der Behörden vernachlässigt.

Die Reproduktionsmediziner könnten an Glaubwürdigkeit gewinnen, wenn sie hier mehr Druck ausüben würden, um diese Alternative zum Wunschkind aus dem Reagenzglas zu fördern.

---

zu Seite 101, 5

18 Spiel: Fabeltiere → SPRECHEN

Spiel

a Beschreiben Sie in fünf Sätzen Aussehen, Eigenschaften und Lebensweise eines dieser Fabeltiere.
Beispiel:

Aussehen *Der Krokofant hat einen langen Rüssel und Schwimmflossen an den Hinterbeinen.*

Eigenschaften *Er ist ein gutmütiges Tier und sehr kinderlieb.*

Lebensweise *Er kann auch im Swimmingpool gehalten werden und spielt dort gerne mit den Kindern im Wasser. Er ernährt sich von Algen. Deshalb wird er häufig in öffentlichen Schwimmbädern zur Reinigung der Becken eingesetzt.*

b Denken Sie sich selbst ein Tier aus und beschreiben Sie es. Ihre Klasse muss raten, was für ein Tier Sie beschrieben haben.

LERNER-CD 6

1 Satzintonation hören

Hören Sie eine kurze Szene aus dem
ersten Akt von Dürrenmatts Stück *Die Physiker*.
Lesen Sie den Text mit. Markieren Sie beim Lesen:
Fragesätze ⬈ = steigende Betonung: *Man darf doch rauchen?* ⬈
Aussagesätze ⬇ = fallende Betonung: *Es ist nicht üblich.* ⬇

Transkription

Inspektor	Man darf doch rauchen?
Oberschwester	Es ist nicht üblich.
Inspektor	Pardon.
Oberschwester	Eine Tasse Tee?
Inspektor	Lieber Schnaps.
Oberschwester	Sie befinden sich in einer Heilanstalt.
Inspektor	Dann nichts. Blocher, du kannst photographieren. Wie hieß die Schwester?
Oberschwester	Irene Straub.
Inspektor	Alter?
Oberschwester	Zweiundzwanzig. Aus Kohlwang.
Inspektor	Angehörige?
Oberschwester	Ein Bruder in der Ostschweiz.
Inspektor	Benachrichtigt?
Oberschwester	Telephonisch.
Inspektor	Der Mörder?
Oberschwester	Bitte, Herr Inspektor – der arme Mensch ist doch krank.
Inspektor	Also gut: Der Täter?
Oberschwester	Ernst Heinrich Ernesti. Wir nennen ihn Einstein.
Inspektor	Warum?
Oberschwester	Weil er sich für Einstein hält.
Inspektor	Ach so. – Auch erdrosselt, Doktor?

2 Lautes Lesen

a Lesen Sie die Szene mit verteilten Rollen. Achten Sie besonders auf
eine deutliche Betonung der Frage- und Aussagesätze.
Die Markierungen der Betonung können Ihnen dabei helfen.

b Nehmen Sie Ihre Version auf und vergleichen Sie Ihre Aufnahme mit
der Theaterinszenierung auf der CD.

3 Fragezeichen oder Ausrufezeichen?

LERNER-CD 7

Hören Sie die folgenden Wörter bzw. Sätze und kreuzen Sie an, ob es
sich um eine Frage oder einen Ausruf handelt.

	?	!		?	!
Noch einmal			Er liebt sie wirklich		
Warum nicht			Du hast es nicht verstanden		
Morgen			Ich gehe dir auf die Nerven		
Nein			Er kommt aus Deutschland		
Erst nächste Woche					

LEKTION 8 – *Lernkontrolle*

Lernkontrolle: Was haben Sie in dieser Lektion gelernt?

Kreuzen Sie an.

		gut	besser als vorher	möchte ich noch vertiefen
Rubrik	**Handlungen**			
Lesen	■ Einer Broschüre zum Thema „Innovationen im Alltag" die Hauptinformationen entnehmen.	☐	☐	☐
	■ Einem Magazinbeitrag über die Entdeckung des Medikaments *Aspirin* Hauptinformationen und Einzelheiten entnehmen.	☐	☐	☐
Hören	■ Einer Eröffnungsrede zu einer Fachtagung die Hauptinformationen sowie Hinweise zum Ablauf der Tagung entnehmen.	☐	☐	☐
Schreiben – Produktion	■ Einen Beitrag zum Thema „Erfindungen" für eine Kurszeitung verfassen.	☐	☐	☐
Sprechen – Produktion	■ Eine Rede zu einem Fantasiethema vorbereiten und halten.	☐	☐	☐
Sprechen – Interaktion	■ Eine Diskussion zum Thema „Riskante wissenschaftliche Verfahren" vorbereiten und durchführen.	☐	☐	☐
Wortschatz	■ Tätigkeiten und Fachbereiche in der Wissenschaft und Forschung präzise und differenziert benennen.	☐	☐	☐
Grammatik	■ Alle häufig verwendeten Präpositionen mit der passenden Kasus-Ergänzung einsetzen.	☐	☐	☐

Sprechen Sie mit Ihrer Kursleiterin / Ihrem Kursleiter über das Ergebnis.
Sie/Er wird Ihnen Tipps zum Weiterlernen geben.

Verben

abbilden

abstrahieren

anfertigen

angehören + *Dat.*

assoziieren

auflösen

bilden

erzeugen

erscheinen

hervortreten

personifizieren

reizen

revoltieren

sich auseinandersetzen mit + *Dat.*

überragen

überwiegen

umgeben von + *Dat.*

verleihen

wirken auf + *Akk.*

zeichnen

Nomen

die Aktzeichnung, -en

das Atelier, -s

der Betrachter, -

die Betrachterin, -nen

das Bildnis, -se

der Block, ̈e

die Epoche, -n

die Figur, -en

das Frühwerk, -e

das Gemälde, -

die Gestaltung

das Gewand, ̈er

die Jahrhundertwende

die Karikatur, -en

der Künstler, -

die Künstlerin, -nen

das Kunstwerk, -e

die Leinwand, ̈e

der Maler, -

die Malerei, -en

die Malerin, -nen

das Mosaik, -en

das Motiv, -e

der Naturalismus

das Ornament, -e

das Passepartout, -s

die Perspektive, -n

der Pinsel, -

die Plastik, -en

das Porträt, -s

der Rahmen, -

die Skizze, -n

die Skulptur, -en

das Stillleben, -

das Werk, -e

die Zeichnung, -en

Adjektive / Adverbien

abstrakt

atmosphärisch

ausgeprägt

bedeutend (un-)

belebt (un-)

dekorativ

deutlich (un-)

einheitlich

flächig

geheimnisvoll

kostbar

krass

künstlerisch

lebendig

malerisch

naturalistisch

plastisch

prachtvoll

räumlich

renommiert

schräg

senkrecht

stellvertretend

überwiegend

waagerecht

zart

zeitgenössisch

zurückgezogen

Ausdrücke

einen Eindruck vermitteln

eine neue Sicht bieten auf + *Akk.*

einen Hinweis geben auf + *Akk.*

9

__1__   Wortfeld Kunst → **LERNWORTSCHATZ**

Ordnen Sie Nomen und Verben aus der Liste.

Bildende Kunst		Theater	
das Atelier	zeichnen	die Bühne	darstellen

LEKTION 9

zu Seite 105, 3

__2__ Biografische Daten → **SCHREIBEN**

Verfassen Sie einen kurzen Lebenslauf von Gustav Klimt. Recherchieren Sie dazu im Internet und suchen Sie vor allem Informationen zu folgenden Jahreszahlen:

〈1862 – 1883 – 1888 – 1897 – 1902 – 1908 – 1918

Am 14. Juli 1862 wurde Gustav Klimt in Wien/Österreich geboren ...

zu Seite 105, 5

__3__ Nähere Bestimmung eines Nomens → **GRAMMATIK/WORTSCHATZ**

Wie könnte man noch sagen? Finden Sie für folgende Komposita Umschreibungen.

Kompositum	Umschreibung
das Blumenmotiv	*das Motiv aus Blumen* *das aus Blumen bestehende Motiv* *das Motiv, das aus Blumen besteht* *Blumen als Motiv*
Handzeichnungen das Frauenporträt die Künstlervereinigung der Skizzenblock	

zu Seite 105, 5

__4__ Partizipien → **GRAMMATIK**

Setzen Sie die richtige Partizipialform ein. Achten Sie auf die Endung.

a Seine Freunde beschreiben ihn als schwer zugänglichen, ungewöhnlich (kleiden) ....*gekleideten*.............. Menschen.

b Von zahlreichen Aufenthalten in der Natur (inspirieren) .... , begann Klimt erst relativ spät mit der Landschaftsmalerei.

c Manchmal blieb er wochenlang, nach neuen Motiven (suchen) .... , auf dem Sommersitz seiner Familie.

d Klimts Frauengestalten, von weichen, ornamentalen Gewändern (umhüllen) .... , lösen sich quasi im Bildhintergrund auf.

e In seinem weltberühmten, auf unzähligen Kalendern, Postkarten und Postern (abbilden) .... Gemälde „Der Kuss" ist der (fließen) .... Übergang in der Darstellung von Mensch und Natur zu sehen.

zu Seite 105, 5

__5__ Korrektur → **GRAMMATIK**

Markieren Sie jeweils die Fehler und schreiben Sie die Sätze richtig.

Beispiel: Der Maler bat das Modell, <u>von dem er wollte eine Skizze machen</u>, sich in Pose zu setzen. *Der Maler bat das Modell, von dem er eine Skizze machen wollte, sich in Pose zu setzen.*

a Mit Ernst Klimt, sein jüngerer Bruder, hatte er ein gemeinsames Atelier.

b Künstlerkollegen des Malers, als zum Beispiel Franz Matsch, arbeiteten zeitweise mit ihm zusammen.

c Der Stil, den Ende des letzten Jahrhunderts geschaffen wurde, hatte einen großen Einfluss auf alle folgenden Kunstrichtungen.

LEKTION 9

zu Seite 106, 2

6 Innovatives Design → WORTSCHATZ

Ergänzen Sie die Wörter in der richtigen Form.

der Designer – einzigartig – entwerfen – erhalten – gestalten – herstellen –
das Konzept – das Plastik – das Produkt – vorstellen

Hermann Weizenegger (* 1963, Professor für Produkt- und Systemdesign) und Oliver Vogt (* 1966, Professor für Industriedesign) und ihr neuer Stuhl – der Sinterchair.
Er ist aus weißem (1) ...., hat eine biomorphe Wabenstruktur und wurde 2002 auf der Messe Tendence in Frankfurt zum ersten Mal (2) .... Der Sinterchair befähigt die Konsumenten dazu, ihren ganz individuellen Stuhl zu (3) ...., der dann mithilfe eines von ihnen ausgefüllten Fragebogens (4) .... wird. Dafür haben die beiden (5) .... einen Fragenkatalog entwickelt, in dem es neben Fragen zu Körpergröße, Gewicht usw. zum Beispiel auch um die Lieblingsmusik, den Lieblingsschriftsteller oder Lieblingsfilm geht. Mit diesen Antworten (6) .... der Kunde ein persönlichkeitskompatibles Unikat. (7) .... wird der Sinterchair in 3D-Lasersintermaschinen, die sonst in der Automobil- und Flugzeugindustrie Verwendung finden. Jeder Stuhl ist so (8) .... wie der Mensch, der ihn besitzt. Von den Designern stammt die Idee für das (9) ...., beim Herstellungsprozess selbst sind sie nur die Vermittler zwischen Konsument und (10) ....

zu Seite 106,3

7 Spiel: Montagsmaler → SPRECHEN

Spiel

Die Klasse teilt sich in zwei Teams. Abwechselnd gehen einzelne Lerner aus jedem Team an die Tafel. Sie erhalten von der Kursleiterin / dem Kursleiter einen Zettel mit einem Wort (möglichst aus dem Wortschatz der Lektion, z.B. *Bleistift*), das sie an die Tafel zeichnen sollen. Die anderen in der Klasse rufen alle Wörter, die ihnen zu der entstehenden Zeichnung einfallen. Das Team, das zuerst das passende Wort gerufen hat, erhält einen Punkt.

zu Seite 106, 3

8 Textzusammenfassung → LESEN/WORTSCHATZ

Ergänzen Sie die Verben in der passenden Form.

Klimt (0) ....*porträtierte*............... mit Vorliebe Frauen. In seinem Frühwerk (1) .... sein Stil noch naturalistisch. Bei dem Bildnis der Serena Lederer von 1899 etwa lässt sich die Frauenfigur deutlich vom Hintergrund (2) ...., Körper und Arme

| beobachten |
| bilden |
| erscheinen |

sind plastisch dargestellt. Nirgendwo im Bild (3) .... erfundene Strukturen. In späteren Werken lässt sich eine zunehmende Ornamentalisierung (4) .... Im Bildnis von Emilie Flöge zum Beispiel (5) .... die Gestaltung des Kleides den Körper der Dame in eine dekorativ strukturierte Fläche. Im Bildnis Adele Bloch-Bauer (6) .... die abstrakten Ornamente von Kleid und Hintergrund einen mosaikartigen Teppich. Gesicht und Hände (7) .... naturalistisch hervor und wirken vom übrigen Körper losgelöst. Der Blick der Porträtierten ist von oben herab auf den Betrachter (8) .... Diese Perspektive (9) .... eine gewisse Distanz.

erzeugen
~~porträtieren~~
richten
sein
treten
unterscheiden
verwandeln

zu Seite 108, 4

P **9**   Lückentext → **LESEN**

Lesen Sie den folgenden Text über den „Blauen Reiter" und wählen Sie das Wort, das in den Satz passt. Es gibt nur eine richtige Lösung.

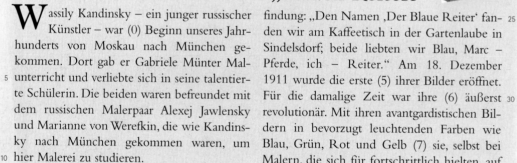

Die Geschichte des „Blauen Reiters"

Wassily Kandinsky – ein junger russischer Künstler – war (0) Beginn unseres Jahrhunderts von Moskau nach München gekommen. Dort gab er Gabriele Münter Malunterricht und verliebte sich in seine talentierte Schülerin. Die beiden waren befreundet mit dem russischen Malerpaar Alexej Jawlensky und Marianne von Werefkin, die wie Kandinsky nach München gekommen waren, um hier Malerei zu studieren.

Im Spätsommer des Jahres 1908 trafen sich die vier in Murnau[1] und bezogen in einem Gasthof Quartier. Dort entstanden leuchtende farbige (1), vor allem Landschaftsstudien von großer Expressivität. Begeistert von der (2) Lage des Ortes und den außerordentlichen künstlerischen Impulsen, kaufte Gabriele Münter im folgenden Jahr ein Haus in Murnau, das zu einem Treffpunkt der Künstlerfreunde wurde.

Einige Zeit später gründete Kandinsky die Künstlervereinigung „Der Blaue Reiter", der unter anderem auch die Maler Franz Marc und August Macke (3). Später stieß noch Paul Klee (4) Gruppe. Kandinsky schreibt zu der Namensfindung: „Den Namen ‚Der Blaue Reiter' fanden wir am Kaffeetisch in der Gartenlaube in Sindelsdorf; beide liebten wir Blau, Marc – Pferde, ich – Reiter." Am 18. Dezember 1911 wurde die erste (5) ihrer Bilder eröffnet. Für die damalige Zeit war ihre (6) äußerst revolutionär. Mit ihren avantgardistischen Bildern in bevorzugt leuchtenden Farben wie Blau, Grün, Rot und Gelb (7) sie, selbst bei Malern, die sich für fortschrittlich hielten, auf heftige Kritik.

Der Ausbruch des Ersten Weltkrieges setzte den eben erst (8) Aktivitäten ein Ende. Die Russen, (9) ihnen Kandinsky, Jawlensky und Werefkin, mussten Deutschland verlassen. Andere Künstler zogen als Soldaten in den Krieg. Macke und Marc fielen auf den Schlachtfeldern in Frankreich.

Obwohl der „Blaue Reiter" nur kurze Zeit bestehen konnte, wirkte die Idee in vielen (10) der abstrakten Kunst weiter, und die Bilder der Gruppe wurden zum Wegbereiter der modernen Kunst des 20. Jahrhunderts.

[1] Ort am Alpenrand, in der Nähe von München

(0)	(3)	(6)	(9)
A) zu ✓	A) gehörten	A) Kunst	A) unter
B) gegen	B) zuhörten	B) Beschreibung	B) mit
C) bei	C) angehörten	C) Künstlerschaft	C) bei
D) an	D) anhörten	D) Art	D) zwischen

(1)	(4)	(7)	(10)
A) Modelle	A) auf der	A) stießen	A) Bereichen
B) Skizzen	B) zu der	B) fanden	B) Ländern
C) Motive	C) in die	C) gerieten	C) Epochen
D) Gemälde	D) in der	D) äußerten	D) Kreisen

(2)	(5)	(8)	
A) künstlerischen	A) Aufführung	A) anzufangenden	
B) malerischen	B) Darbietung	B) anfänglichen	
C) dekorativen	C) Darstellung	C) begonnenen	
D) beruhigenden	D) Ausstellung	D) zu beginnenden	

zu Seite 109,1

10 Kleine Haie → LESEN/WORTSCHATZ

Videotipp

9

Kleine Haie

**Deutschland 1992; Regie: Sönke Wortmann; Buch: Jürgen Egger,
Sönke Wortmann; Darsteller: Jürgen Vogel, Kai Wiesinger,
Gedeon Burkhard, Meret Becker u. a.**

Ergänzen Sie die Nomen in der folgenden Inhaltsangabe.

Aufnahmeprüfung – Auftritt – Begabung – Jury – Schauspieler –
Schauspielschulen – Seminar – Vorsprechen

Johannes, Ingo und Ali verbindet der Wunsch, ganz groß als Schauspieler herauszukommen. Nur ist zuvor ein „kleines Hindernis" zu überwinden: Die ....*Aufnahmeprüfung*........
an einer der wenigen staatlichen .... muss erst einmal bestanden
werden. Die drei begegnen sich in München. Ohne Geld und ohne Unterkunft in einer Großstadt klarzukommen, hält das Trio zusammen. Ganz nach dem Motto: Geteiltes Leid ist
halbes Leid!

Das wichtigste Buch für sie: *Der kleine Hey, Die Kunst des Sprechens.* Ständig Texte vor sich hin murmelnd, bereiten sie sich auf ihren großen .... vor: Johannes, der immer wieder beim .... versagt; Ingo, der eigentlich gar nicht .... werden wollte; und Ali, der mit einer gehörigen Arroganz davon überzeugt ist, es beim ersten Anlauf zu schaffen. Wer von den drei Kandidaten hat die .... zu einem Schauspieler? Wer wird es letztendlich schaffen, vor der .... der Schule nicht zu versagen? Wer wird schließlich in das .... der Falckenberg-Schule aufgenommen werden?

zu Seite 111, 6

11 Silbenrätsel → WORTSCHATZ

Welche der folgenden Eigenschaften haben Schauspieler?
Setzen Sie die Silben zu Begriffen zusammen, die schauspielerische
Qualitäten benennen, und ergänzen Sie jeweils den Artikel.

strahlung – Ernst – taneität – Leiden – tasie – Rhyth – terung – Selbst –
haftigkeit – bung – Spon – Aus – lungskraft – Begeis – lichkeit – sicherheit –
Bega – schaft – Vorstel – Beweg – Fan – musgefühl

Beispiel: *die Beweglichkeit*

zu Seite 111, 6

12 Nominalisierung → WORTSCHATZ/GRAMMATIK

a Bilden Sie aus den Verben Nomen, die in die Sätze passen.

Verb	Beispielsatz
aufführen	Das Prinzregententheater bringt *Tristan und Isolde* als konzertante *Aufführung* .
aufnehmen	Die historische .... hat mir gut gefallen.
auftreten	Mit der Rolle des Hamlet hatte er seinen letzten ....
ausbilden	Er hat eine dreijährige .... als Schauspieler hinter sich.
sich bewerben	Für das Max-Reinhardt-Seminar gab es dieses Jahr 150 ....
inszenieren	Die Faust-..................................... im Schillertheater hat mir am besten gefallen.
scheitern	Sein .... bei der Prüfung war vorauszusehen.
spielen	Oskar Werners .... war wirklich virtuos.
vortragen	Der .... war mal wieder unendlich langweilig.

b Wie heißen die Nomen zu diesen Adjektiven?

Adjektiv	Beispielsatz
begabt	Dieser Kandidat hat eine ganz außergewöhnliche ....
engagiert	Er bekommt ein .... für zwei Jahre.
heiter	Die Inszenierung sorgte für eine große ....
komisch	Die .... war an manchen Stellen ungewollt.
künstlerisch	Er war ein großer ....
leidenschaftlich	Er spielte die Rolle mit ungewöhnlicher ....
persönlich	Sie war wirklich eine beeindruckende ....
vielseitig	Ihre .... eröffnet ihr immer wieder neue Rollen.

LEKTION 9

zu Seite 111, 6

13 Redewendungen mit *Spiel - spielen* → WORTSCHATZ

a Ordnen Sie die idiomatischen Ausdrücke in der linken Spalte den Umschreibungen rechts zu.

gute Miene zum bösen Spiel machen	wichtig sein
bei jemandem verspielt haben	von jemandem nicht mehr gemocht werden
eine Rolle spielen	gegen seinen Willen bei etwas mitmachen
etwas aufs Spiel setzen	jemanden nicht einbeziehen wollen
jemanden aus dem Spiel lassen	viel riskieren

b Setzen Sie jeweils den passenden idiomatischen Ausdruck in die Lücken.

1 Seitdem sich Hans über seinen Kollegen bei der Theaterprobe lustig gemacht hat, hat er .... *bei ihm verspielt* .... Momentan jedenfalls spricht der Kollege kein Wort mehr mit ihm. Dabei wollte Hans bestimmt nicht ihre gute Beziehung ....

2 Wir wussten nicht, dass der Stadtrat drohte, das Theater aus finanziellen Gründen zu schließen. Warum hat der Intendant uns nichts gesagt und dauernd ....?

3 Vielleicht ist es möglich, durch eine Unterschriftenaktion noch etwas zu retten. Es ...., dass die Bewohner des Ortes das Theater unbedingt behalten wollen.

4 Allerdings hat der Stadtrat Fritz Hensch schon darum gebeten, seinen Namen .... Er möchte mit der Aktion nichts zu tun haben.

zu Seite 114, 4

14 Sagen Sie es anders! → GRAMMATIK

Drücken Sie die Sätze mithilfe von Modalverben aus.
Beispiel: Ich bin **ganz sicher**, dass er diese Rolle schon einmal auf einer Theaterbühne gespielt hat.
*Er **muss** diese Rolle schon einmal auf einer Theaterbühne gespielt haben.*

a Es **wäre** natürlich **möglich**, dass die Aufführung in einer anderen Stadt war.

b Man **sagt, dass** der Regisseur mit seinem Team heftig zerstritten ist.

c **Höchstwahrscheinlich** ist es im Moment schwierig weiterzuproben.

d Als Nächstes ist ein pantomimisches Stück geplant. **Sicherlich** stößt es bei den Zuschauern auf großes Interesse.

e Einer der Theaterkritiker **behauptet**, schon bessere Inszenierungen von Goethes *Faust* gesehen zu haben. Alle anderen fanden die neue Inszenierung hervorragend.

f **Möglicherweise** hat er als Schauspieler schon viel Erfahrung. Als Regisseur eignet er sich jedenfalls nicht so gut.

g Es ist **unmöglich**, dass er die Schauspielerin Mizzi A. persönlich gekannt hat. Sie ist nämlich schon vor über 30 Jahren gestorben.

zu Seite 114,4

15 Modalverben → GRAMMATIK

Ersetzen Sie die unterstrichenen Ausdrücke durch ein Modalverb.

Beispiel: Das Bild stammt wahrscheinlich aus dem Archiv des Theatermuseums.

Das Bild dürfte aus dem Archiv des Theatermuseums stammen.

ⓐ Es ist ratsam, die Premierenkarten schon Wochen vorher zu kaufen.

ⓑ Die Frau an der Abendkasse hat mir bestimmt eine falsche Platznummer gegeben.

ⓒ Er behauptet, mir das Programmheft zurückgegeben zu haben, aber ich bezweifle das.

ⓓ Ich empfehle Ihnen, sich unbedingt mal die neue Inszenierung von *Faust* anzusehen.

ⓔ Höchstwahrscheinlich hat Goethe das geschrieben, aber es wäre möglich, dass es von einem seiner Zeitgenossen stammt.

ⓕ Ich habe gelesen, dass der Stargast 15 000 Euro Gage pro Abend bekommt.

ⓖ Domingo konnte nicht auftreten. Dafür gibt es nur eine Erklärung: Er hat sich erkältet.

ⓗ Er gibt vor, viel von Musik zu verstehen. Dabei kann er nicht einmal Opern von Operetten unterscheiden.

ⓘ Ich habe gehört, dass eine Neuinszenierung von *Tristan und Isolde* geplant ist.

ⓙ Man sagt, dass Oskar Werner zu den ganz großen Schauspielern zählte.

ⓚ Es ist anzunehmen, dass er auch die nächste Spielzeit hierbleibt.

zu Seite 114, 4

16 Vergangenheitsformen → GRAMMATIK

Bilden Sie mit den Ausdrücken in Klammern Sätze im Perfekt.

Beispiele: Die Schauspielerin war mit dieser Rolle unzufrieden.
(wollen: nicht mehr spielen)
Sie hat sie nicht mehr spielen wollen.

Die Schauspielerin behauptet, dass sie in letzter Zeit keine einzige kleine Rolle hatte. (wollen: nur größere Rollen spielen)
Sie will nur größere Rollen gespielt haben.

ⓐ Der Regieassistent kam häufig angetrunken zu den Proben.
(können: seine Arbeit nicht verrichten)

ⓑ Der Typ mit der Glatze wirkte schon sehr professionell.
(dürfen: schon oft auf der Bühne stehen)

ⓒ Bei der Prüfung waren natürlich alle Kandidaten sehr nervös.
(dürfen: Aufregung nicht zeigen)

ⓓ Für die Prüflinge gab es sehr unterschiedliche Aufgaben.
(müssen: vielseitiges Talent zeigen)

ⓔ Am Ende der Woche sah man die Anstrengung in ihren Gesichtern.
(müssen: völlig erschöpft sein)

ⓕ Der große Pantomime erschien nicht zur Aufnahmeprüfung.
(sollen: mit der Schauspielschule im Streit liegen)

ⓖ Die Übung hatte eine sehr wichtige Aufgabe. (sollen: Rhythmusgefühl und Beweglichkeit der Kandidaten testen)

1
LERNER-CD 8

Gedicht hören

Hören Sie ein Gedicht von Josef Guggenmos.

> **Ein Hase, der gern Bücher las**
>
> Ein Hase, der gern Bücher las,
> fand ein dickes Buch im Gras,
> er setzte sich ins Gras und las
> das dicke Buch, im Buch stand das:
>
> Ein Hase, der gern Bücher las,
> fand ein dickes Buch im Gras,
> er setzte sich ins Gras und las
> das dicke Buch, im Buch stand das:
>
> Ein Hase, der gern Bücher las,
> fand ...

2

Tempo

Lesen Sie jetzt das Gedicht selber. Steigern Sie Ihr Lesetempo von der ersten zur letzten Strophe.

3
LERNER-CD 9

Sinnabschnitte hören

ⓐ Hören Sie eine Passage aus der Bildbeschreibung von Kursbuch Seite 108.

ⓑ Markieren Sie, zwischen welchen Sätzen oder Satzteilen die Sprecherin eine deutliche Pause macht.

ⓒ Welche Funktion haben diese Pausen?

ⓓ Wo spricht die Sprecherin schnell, wo langsam?

Transkription

Der weltberühmte österreichische Maler und Grafiker Gustav Klimt gilt als Hauptmeister der Wiener Sezession. Die Sezessionen waren eine neue Form von Künstlerorganisationen, die in der Zeit um die Jahrhundertwende in verschiedenen europäischen Kunstzentren entstanden. Sie opponierten hauptsächlich gegen die Akademien. In Gustav Klimts Werken ist fast ausschließlich die Gestalt der Frau die Trägerin der künstlerischen Botschaft. Dies gilt für seine allegorischen Darstellungen ebenso wie für seine Frauenbildnisse, an denen sich seine künstlerische Entwicklung deutlich ablesen lässt.

4

Lautes Lesen

ⓐ Wählen Sie eine der folgenden Rollen:
- Redner bei einer Feierstunde
- Märchenerzähler
- Geschäftsmann beim Diktat
- Sensationsreporter
- Verteidiger vor Gericht
- Nachrichtensprecher

ⓑ Lesen Sie den Text so vor, wie die von Ihnen gewählte Person ihn lesen würde. Nehmen Sie sich dabei auf und spielen Sie Ihre Aufnahmen in der Klasse vor. Welche Aufnahme ist am besten gelungen?

LEKTION 9 – *Lernkontrolle*

Lernkontrolle: Was haben Sie in dieser Lektion gelernt?

Kreuzen Sie an.

Rubrik	Handlungen	gut	besser als vorher	möchte ich noch vertiefen
Lesen	■ Einem Sachbuchtext über den Maler Gustav Klimt biografische Details entnehmen.	❑	❑	❑
	■ Haupt- und Detailinformationen aus einer Reportage zum Thema „Aufnahmeprüfung für eine Schauspielschule" in einer Textzusammenfassung ergänzen.	❑	❑	❑
Hören	■ Einer kunsthistorisch orientierten mündlich vorgetragenen Bildbeschreibung Hauptinformationen entnehmen.	❑	❑	❑
Schreiben – Interaktion	■ Eine E-Mail zu einem Thema des privaten Bereichs beantworten.	❑	❑	❑
Sprechen – Produktion	■ Über Theaterfotos sprechen und Vermutungen über die dargestellten Szenen äußern.	❑	❑	❑
Sprechen – Interaktion	■ Den Bau eines neuen Museums aushandeln und verschiedene Vorschläge gegeneinander abwägen.	❑	❑	❑
Wortschatz	■ Kunstepochen, Kunststile, Materialien, Formen der bildenden Kunst präzise und differenziert benennen.	❑	❑	❑
Grammatik	■ Ein Nomen mithilfe von Attribution und Partizipien näher bestimmen.	❑	❑	❑
	■ Mithilfe von Modalverben Vermutungen, Möglichkeiten und Folgerungen ausdrücken.	❑	❑	❑

Sprechen Sie mit Ihrer Kursleiterin / Ihrem Kursleiter über das Ergebnis.
Sie/Er wird Ihnen Tipps zum Weiterlernen geben.

Verben

ablehnen + *Akk.*

aufwachsen

bewahren

entstehen

gestalten + *Akk.*

glücken

hängen an + *Dat.*

herstellen

hervorbringen

koppeln an + *Akk.*

sich lockern

nachahmen + *Akk.*

prägen + *Akk.*

sich breitmachen

sich fügen

sich rüsten für + *Akk.*

schaffen + *Akk.*

stammen aus + *Dat.*

überfordern + *Akk.*

verdrängen

verschwinden

wiederbeleben

zugreifen

Nomen

der Auswanderer, -

der Befürworter, -

die Belastung, -en

die Bindungslosigkeit

das Bündnis, -se

die Dienstleistung, -en

die Eckdaten (Plural)

der Einzelhandel

der Export

die Geschäftsbeziehung, -en

der Geschäftsführer, -

das Gut, ¨er

die Heimat

die Herkunft

die Identität, -en

die Innerlichkeit

der Kitsch

die Kompensation

der Konsument, -en

die Rückbesinnung

die Sehnsucht, ¨e

die Sesshaftigkeit

der Standort, -e

die Tradition, -en

das Unternehmen, -

der Unternehmer, -

die Vereinheitlichung

die Vertrautheit

die Voraussetzung, -en

das Wachstum

der Welthandel

der Wert, -e

der Wohlstand

die Zeitreise, -n

die Zugehörigkeit, -en

der Zwang, ¨e

Adjektive / Adverbien

bewahrenswert

bemerkenswert

einzigartig

entgegengesetzt

hoch spezialisiert

klaglos

multinational

prägend sein

traditionsgeprägt

überwiegend

unbeschwert

unverwechselbar

vertraut

verlockend

weltweit

Ausdrücke

einen Aspekt herausgreifen

ein Gefühl stellt sich ein

ein Geschäft betreiben

Gefühle auslösen

sich aus Zwängen befreien

Heimweh haben

in Auflösung begriffen sein

sein Leben gestalten

10

<u>1</u> **Rund um Wirtschaft und Globalisierung** → LERNWORTSCHATZ

Ergänzen Sie das Kreuzworträtsel mit Wörtern aus der Liste.

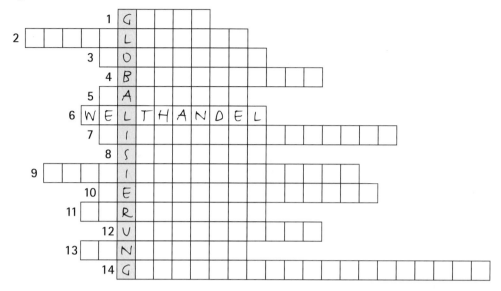

1 Synonym für *Produkte*
2 Warenverkauf direkt an den *Verbraucher*
3 Gegenteil von *Armut*
4 Antonym von *Gegner*
5 Wenn es mit der Wirtschaft aufwärtsgeht, nennt man das ...
6 Import und Export auf der ganzen Welt
7 Restaurants, Hotels usw. gehören zum Sektor ...
8 Dort, wo eine Firma ihren Sitz hat
9 Durch die Globalisierung ist vieles sehr ähnlich und gleich: man spricht von ...
10 Eine Person, die eine große Firma leitet
11 Anderes Wort für *produzieren*
12 Anderes Wort für *Firma*
13 Anderes Wort für *Verbraucher*
14 Er hat viele geschäftliche Kontakte: Er hat viele ...

zu Seite 118, 3

<u>2</u> **Synonyme und Antonyme** → WORTSCHATZ

Welche Wörter gehören zusammen? Ordnen Sie zu.

Konzern – Fairness – Mitgefühl – Misstrauen – Schrecken – produzieren – zerstören – Armut – Güter

a Reichtum: ....
b Waren: ....
c Angst: ....
d Vertrauen: ....
e Verständnis: ....
f Gerechtigkeit: ....
g Firma: ....
h herstellen: ....
i kaputt machen: ....

zu Seite 118, 3

__3__   We feed the world → LESEN/WORTSCHATZ

a Schauen Sie die Fotos an und spekulieren Sie, worum es in dem Film geht.

b Lesen Sie nun die Zusammenfassung des Films und ergänzen Sie die Wörter.

wegwerfen – importieren – industrialisieren
Produktionsort – Wirtschaftszweig – Konsumenten – Überfluss – Weltmarkt –
Gemüseproduktion – Globalisierung

10

We feed the world

Eine in Europa und Südamerika gedrehte Dokumentation über das Konsumverhalten und die Globalisierung der Nahrungsmittelproduktion
Regie: Erwin Wagenhofer – Österreich 2005

In seinem Dokumentarfilm über Ernährung im Zeitalter der ......*Globalisierung*...... (1) geht der österreichische Filmemacher Erwin Wagenhofer der Frage nach, welchen Weg unsere Lebensmittel vom .... (2) bis zum Einkaufswagen zurücklegen.

Wagenhofers dokumentarische Reise ist nach den Schauplätzen auf dem .... (3) gegliedert, den Gewächshäusern, den Fabriken und den Wohnungen der Arbeiter/innen.

Der Film beginnt in Österreich und zeigt, dass dort allein in Wien Tag für Tag eine so große Menge Brot .... (4) und vernichtet wird, wie in Österreichs zweit-größter Stadt Graz verbraucht wird. Grund dafür ist, dass Weizen heute billiger ist als der Streusplitt auf unseren Straßen, es also fast nichts mehr kostet, Brot im .... (5) zu produzieren.

Der nächste Schauplatz ist die Schweiz, wo Weizen aus Indien .... (6) wird. Weitere Beiträge beleuchten das Fischereiwesen der Bretagne und die Pläne der EU, dieses zu .... (7), die .... (8) in Spanien und Rumänien, den Sojaanbau auf ehemaligen Regenwaldflächen in Brasilien zum Zwecke der Tierfütterung in Europa und die Hühnerzucht in Österreich.

Es werden immer wieder Interviewabschnitte eingespielt, u.a. ein Interview mit dem öster-reichischen CEO von Nestlé, Peter Brabeck-Letmathe, der sagt, dass er die Nahrungs-mittelproduktion als reinen .... (9) sieht, in dem wenig Platz für Rücksichtnahme auf die Natur oder die Notlagen der Menschen ist.

„We feed the world" gibt in eindrucksvollen Bildern Einblick in die Produktion unserer Lebensmittel und ruft zu einer größeren Verantwortung des .... (10) auf, seine Lebensmittelgewohnheiten zu hinterfragen und sich seiner Macht bewusst zu werden.

zu Seite 118, 3

_4_ Unsere Firma soll anders werden! → SPRECHEN

Einige Mitarbeiter Ihrer Firma setzen sich zusammen und diskutieren verschiedene Fragen.
Verteilen Sie die Rollen und spielen Sie das Gespräch.

> Unsere Firma soll anders werden!!!
> Wir haben eine neue Kaffeemaschine.
> Aber welchen Kaffee benutzen wir?
> Ist das Essen in der Kantine auch gesund?
> Einige Büroräume sollen neu eingerichtet werden. Welche Möbel nehmen wir?
> Alle Mitarbeiter sind herzlich eingeladen.
> Montag um 17 Uhr in der Kantine.
> Auch Gäste sind geladen.

10

Helmut Zacherl – Bauer:
Er garantiert für Eier von glücklichen Hühnern. Und genfreies Gemüse und Obst.

Michaela Maier – Schreinerin:
Sie hat eine kleine Werkstatt.

Irmgard Haas – Kantinenmitarbeiterin:
Hat Angst, zu wenig zu verdienen, wenn alles zu teuer wird.

Klaus Löbisch – Controller:
Er interessiert sich für Fakten und Zahlen. Und leitet die Diskussion.

Kabiru Kassama – aus der IT-Abteilung:
Hat Kontakt zu einem Dorf in Ghana, wo Möbel produziert werden.

Jan Schön – junger Mitarbeiter:
Seit Jahren bei der Organisation „Fairer Handel" engagiert. Er findet, der Kaffee kann ruhig ein bisschen teurer sein.

Mitarbeiter mit der Devise:
Alles muss billig sein.

Mitarbeiter mit der Devise:
Qualität ist wichtig.

Günter Glotz – seit 20 Jahren in der Buchhaltung:
Findet, man sollte beim Alten bleiben. Hauptsache zuverlässig und günstig.

Carla Sturm – Marketing:
Ist absolut überzeugt. Ihre Slogans: „Faire" Kaffeebohnen! Keine „krummen" Bananen! „Glückliche" Hühner und Schweine! „Saubere" Tomaten!

LEKTION 10

zu Seite 119, 2

__5__ Globalisierung am Beispiel der Jeans → LESEN

Würden wir an der Garderobe alle die Kleider abgeben, die nicht in Deutschland hergestellt wurden, würden wir ziemlich nackt dastehen.
Über 80 % ihrer Produkte lassen deutsche Bekleidungshersteller im Ausland fertigen.

a Was glauben Sie? Wie viele Kilometer legt eine Jeans zurück, bevor wir sie in unseren
Läden kaufen können?

☐ 1000 bis 10 000 km?
☐ 10 000 bis 50 000 km?
☐ 50 000 bis 100 000 km?

b Lesen Sie den Text. Zeichnen Sie den Weg der Jeans in die Karte ein.
c Ergänzen Sie die Verben in der richtigen Form.

färben – fliegen – ernten – erfolgen – verkaufen – sortieren – geben – bringen –
herstellen

Die Weltreise einer Jeans.
Sehen Sie selbst!

Der durchschnittliche Reiseweg einer Jeans beträgt 64 000 km.
Beeindruckend!
Die Baumwolle wird in Indien oder Kasachstan ....*geerntet*.......... (1)
und in die Türkei versandt. Dort wird die Baumwolle zu Garn gesponnen.
In Taiwan wird die Baumwolle dann mit chemischer Indigofarbe aus
Deutschland .... (2). Aus dem gefärbten Garn werden in
Polen Stoffe gewebt. Innenfutter und kleine Schildchen mit den Wasch-
und Bügelhinweisen werden in Frankreich .... (3),
Knöpfe und Nieten kommen aus Italien. Alle Zutaten werden auf die
Philippinen .... (4) und dort zusammengenäht. In
Griechenland .... (5) die Endverarbeitung. Die Jeans
werden in Deutschland .... (6) und getragen und später
in die Altkleidersammlung oder einer karitativen Organisation
.... (7). In einem holländischen Betrieb wird die
Kleidung .... (8). Und mit Schiffen und Lkws auf den
afrikanischen Kontinent .... (9).

LEKTION 10

zu Seite 120, 2

__6__ **Zeitmanagement beim Leseverstehen** → **LERNTIPP**

Sie sollen mehrere Lesetexte ohne Pause hintereinander bearbeiten. Kreuzen Sie an: Welche dieser Strategien ist Ihrer Meinung nach die beste? Warum?

☐ Ich arbeite alle Lesetexte der Reihe nach durch. Sonst komme ich ganz durcheinander. So fange ich wenigstens nicht jeden Text zwei- oder dreimal an zu lesen und verliere keine wertvolle Zeit.

☐ Ich gehe auch am liebsten der Reihe nach vor. Allerdings halte ich mich nicht an einer einzelnen Aufgabe auf, die für mich schwierig ist. Ich hebe mir diese Aufgabe bis zum Schluss auf.

☐ Der Anfang ist immer am schwersten. Deshalb verschaffe ich mir zuerst einen Überblick: Dazu blättere ich alle Seiten einmal durch. Danach wähle ich den Text aus, bei dem ich mir unter dem Titel was vorstellen kann.

☐ Ich weiß, dass ich Lückentexte besonders gut kann. Deshalb fange ich damit an, wenn einer dabei ist. Danach arbeite ich der Reihe nach.

zu Seite 122, 4

__7__ **Heimat** → **WORTSCHATZ/SCHREIBEN**

a Ergänzen Sie die Nomen.

Sehnsucht – Vertrautheit – Zugehörigkeit – Kulturen – Tradition – Heimweh

1 Das Gefühl zu haben: Das sind meine Freunde, das ist meine Familie, das ist meine Stadt. Einfach das Gefühl der ......*Zugehörigkeit*...... (1).

2 Freunde, die mich gut kennen und verstehen. Bekannte Orte und Gerüche. Eben ein Gefühl der .... (2).

3 Ich lebe seit Jahren im Ausland und da habe ich schon manchmal .... (3). Und dann, jedes Mal, wenn ich „nach Hause" fliege, spüre ich ein Kribbeln, da stellen sich Gefühle ein, die kann ich nicht beschreiben. Vor allem Vorfreude und diese .... (4) nach meinem Zuhause.

4 Ich stamme aus Montenegro und bin vor zehn Jahren hierhergekommen. Ich liebe mein Land, meine Religion und auch meine .... (5). Aber ich fühle mich in beiden .... (6) zu Hause.

b Was bedeutet für Sie Heimat? Schreiben Sie ähnliche Texte.

zu Seite 124, 6

__8__ **Passiv** → **GRAMMATIK**

Formulieren Sie im Passiv.

Beispiel: *Faire Spielregeln im Umgang mit anderen Ländern sollen geschaffen werden.*

```
Fairer Handel – Wir wollen …
➢ faire Spielregeln im Umgang mit anderen Ländern schaffen.
➢ Kinderarbeit vermeiden.
➢ die Löhne verbessern.
➢ hohe Umweltbelastungen vermeiden.
➢ gesundheitliche Risiken reduzieren.
➢ den Menschen helfen, indem man gute Arbeitsbedingungen schafft.
➢ die Verbraucher sensibilisieren, indem wir ökonomische
   Zusammenhänge aufzeigen.
➢ dass die Verbraucher ihr Konsumverhalten ändern.
```

LEKTION 10

zu Seite 124, 7

9 Partizip I → GRAMMATIK

Formulieren Sie Relativsätze.

a Eine prägende Erinnerung. *Eine Erinnerung, die prägt.* ....

b Ein schwer zu lösendes Problem. ....

c Eine zu diskutierende Frage. ....

d Ein verlockendes Angebot. ....

e Ein zu bewahrendes Kulturerbe. ....

f Eine ständig wachsende Globalisierung. ....

g Ein zu schließender Vertrag. ....

h Eine wiederzubelebende Tradition. ....

zu Seite 124, 7

10 Partizip I → GRAMMATIK

Formulieren Sie mit Partizip.

a Ein Problem, das man wirklich ernst nehmen sollte.
Ein wirklich ernst zu nehmendes Problem. ....

b Eine Aufgabe, die man ganz leicht lösen kann.
....

c Eine Wohnung, die renoviert werden muss.
....

d Eine Leistung, die aufgebracht werden muss.
....

e Eine Erfahrung, die nicht verdrängt werden kann.
....

f Ein Problem, das mehr und mehr verschwindet.
....

zu Seite 124, 7

11 Adjektive → WORTSCHATZ

Ergänzen Sie die Adjektive.

⟨ unbeschwert – prägend – verlockend – bewahrenswert –
bemerkenswert – einzigartig

a Eine Kindheitserinnerung, die für mein ganzes Leben wichtig war.
Eine .... Erinnerung.

b Eine Kindheit, die ohne Probleme war.
Eine .... Kindheit.

c Eine Freundschaft, die etwas ganz Besonderes ist.
Eine .... Freundschaft.

d Ein Angebot, dem ich nicht widerstehen kann.
Ein .... Angebot.

e Ein Ereignis, das man erwähnen muss.
Ein .... Ereignis.

f Ein Kulturerbe, das man erhalten soll.
Ein .... Kulturerbe.

zu Seite 125, 2

<u>12</u> Wortschlangen → **WORTSCHATZ**

Bilden Sie Wortschlangen zum Thema der Lektion.

Massenware – Warenproduktion – Produktionskosten – ...

zu Seite 125, 3

<u>13</u> Komposita → **WORTSCHATZ**

Ordnen Sie die Begriffe zu. Manchmal
gibt es mehrere Möglichkeiten.

KINDER	BEDINGUNG
UMWELT	PROTEST
DROGEN	BELASTUNG
HOFFNUNGS	KOSTEN
ARBEITS	GÜTER
MASSEN	TRÄGER
WELT	BEWEGUNG
TRANSPORT	ARBEIT
KONSUM	HANDEL
PROTEST	PRODUKTION
	WESEN
	VERHALTEN

zu Seite 127, 3

<u>14</u> Zeitreisen → **SCHREIBEN**

ⓐ Sehen Sie die Fotos und die Überschrift an. Würden Sie gerne eine Zeitreise machen?

ⓑ Schreiben Sie Ihre Meinung im Chat-Forum. Machen Sie zuerst Notizen.

Windstärke 8 Eine historische Zeitreise mit dem Schiff ins Jahr 1855
Freud und Leid auf engstem Raum

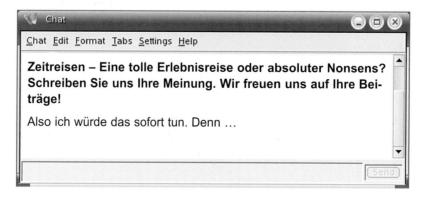

Chat

Chat Edit Format Tabs Settings Help

**Zeitreisen – Eine tolle Erlebnisreise oder absoluter Nonsens?
Schreiben Sie uns Ihre Meinung. Wir freuen uns auf Ihre Beiträge!**

Also ich würde das sofort tun. Denn …

Send

1   Betonung von Modalpartikeln

LERNER-CD 10

Hören Sie die Sätze und unterstreichen Sie, welches Wort am meisten betont ist.
Wiederholen Sie die Sätze.

ⓐ Was machst du denn da?

ⓑ Du hast ja recht.

ⓒ Mach ruhig weiter so!

ⓓ Es schneit ja.

ⓔ Erzähl ihm ja nichts davon!

ⓕ Frag ihn doch!

ⓖ Könntest du mir das mal erklären?

ⓗ Mach bloß nicht wieder so einen Blödsinn!

ⓘ Der Bankangestellte war aber unfreundlich.

ⓙ Schreib doch mal!

ⓚ Du gibst eben viel zu viel Geld aus.

2   Sätze mit und ohne Modalpartikeln

LERNER-CD 11

Hören Sie die Satzpaare und unterstreichen Sie, welches Wort am meisten betont ist.
Wiederholen Sie die Sätze.

ⓐ Ich habe kein Geld für ein neues Auto.   Ich habe *eigentlich* kein Geld für ein neues Auto.

ⓑ Hat er viel Geld?   Hat er *eigentlich* viel Geld?

ⓒ Du kannst noch etwas warten.   Du kannst *ruhig* noch etwas warten.

ⓓ Du gibst zu viel Geld aus.   Du gibst *eben* zu viel Geld aus.

ⓔ Das ist gar nicht schwer.   Das ist *ja* gar nicht schwer.

ⓕ Du hast recht.   Du hast *ja* recht.

ⓖ Dürfte ich was fragen?   Dürfte ich *mal* was fragen?

ⓗ Könntest du mir das erklären?   Könntest du mir das *mal* erklären?

ⓘ Mach nicht wieder so einen Blödsinn!   Mach *bloß* nicht wieder so einen Blödsinn!

ⓙ Hätte ich keine Schulden gemacht!   Hätte ich *bloß* keine Schulden gemacht!

ⓚ Sei nicht immer so sparsam!   Sei *doch* nicht immer so sparsam!

ⓛ Der Bankangestellte war unfreundlich.   Der Bankangestellte war *aber* unfreundlich.

ⓜ Bist du wahnsinnig?   Bist du *denn* wahnsinnig?

ⓝ Hast du damals so viel verdient?   Hast du *denn* damals so viel verdient?

ⓞ Hast du etwas Zeit für mich?   Hast du *vielleicht* etwas Zeit für mich?

ⓟ Das ist teuer!   Das ist *aber* teuer!

3   Betonungsregeln

Ergänzen Sie die Regeln zur Betonung von Modalpartikeln.

> Modalpartikeln können betont oder *unbetont* sein. Meistens sind sie
> jedoch .... Sind die Modalpartikeln unbetont
> (z. B. Hast du *vielleicht* etwas Zeit für mich?), ändert sich die Satz-
> melodie nicht.

Lernkontrolle: Was haben Sie in dieser Lektion gelernt?

Kreuzen Sie an.

Rubrik	Handlungen	gut	besser als vorher	möchte ich noch vertiefen
Lesen	■ Die Kurz-Lebensläufe von Personen in Bezug auf Geburtsort, Lebensmittelpunkt und kulturelle Wurzeln vergleichen.	☐	☐	☐
	■ In einer längeren Reportage die Hauptinformationen lokalisieren.	☐	☐	☐
Hören	■ Die Hauptaussagen einer Rundfunkreportage zum Thema „Globalisierung" erkennen und anschließend Detailinformationen entnehmen.	☐	☐	☐
	■ Einer Hördokumentation Detailinformationen entnehmen.	☐	☐	☐
Schreiben – Produktion	■ Eine Zusammenfassung zu einem längeren gelesenen Text anfertigen.	☐	☐	☐
Sprechen – Interaktion	■ Anhand eines Schaubilds zum Thema „Globalisierung" Stellung zum Thema beziehen und an einer Diskussion teilnehmen.	☐	☐	☐
Wortschatz	■ Unbekannte Wörter mithilfe verschiedener Techniken selbstständig erschließen.	☐	☐	☐
Grammatik	■ Mithilfe der Modalverben *sollen* und *wollen*, des Passivs oder des Partizips Sachverhalte unpersönlich ausdrücken.	☐	☐	☐

Sprechen Sie mit Ihrer Kursleiterin / Ihrem Kursleiter über das Ergebnis. Sie/Er wird Ihnen Tipps zum Weiterlernen geben.

10

LEKTION 6

S. 62/1 a) aggressiv -, anpassungsfähig +; anziehend +; auffällig +/-; durchsetzungsfähig +; eifersüchtig -; eingebildet -; eitel -; emotional +/-; feindselig -; geschmacklos -; kompetent +; kompromissfähig +; lässig +/-; leger +/-; opferbereit +; qualifiziert +; skrupellos -; steif -; zielstrebig +;
b) aus dem Weg räumen; jdn. auf dem Laufenden halten; der Karriereknick; in den Hintergrund treten; jdn./einer Sache aus dem Weg gehen; Opfer bringen; die Fäden in der Hand haben; die Rechnung geht auf

S. 63/4 a) Ich habe ihn auf Anhieb wiedererkannt. b) Warum bin ich nicht auf diese Idee gekommen? c) Er legt großen Wert auf Kleidung. d) Aus ihr ist etwas geworden. e) Sie ist in der Firma aufgestiegen. f) Dieser schwierigen Situation gehen sie lieber aus dem Weg. g) ..., hätte ich kürzer getreten. h) ..., dass sie sich Sachen abnehmen lassen. i) Die Rechnung geht allerdings nur dann auf, ... j) ... sie beides besser vereinbaren können. k) Vorbei die Zeit ...

S. 64/5 B 1; C 5; D 7; E 3

S. 65/6 b) Unterstützung; c) Gedanken; d) Beschäftigung; e) Korrektur; f) Sehnsucht; g) Rücktritt; h) Ergebnis; i) gestrige Diskussion; j) heftige Kritik; k) schneller Aufstieg

S. 65/7 b) Dank ... an; c) Die Anpassung an; d) Begegnung mit; e) Seine Zustimmung zu; f) Sein Bericht an

S. 65/8 a) Sie denkt immer nur an ihr Aussehen. b) Er achtete genau auf ihr Benehmen. c) Kann ich mich auf deine Pünktlichkeit verlassen? d) Ich beneide ihn um seine Intelligenz. e) Wir rechnen mit einer Gehaltserhöhung. f) Hanna begnügt sich nicht mit der Rolle als Hausfrau und Mutter.

S. 66/9 a) Da/Weil er ein hervorragendes Zeugnis hatte, wurde er sofort eingestellt. b) Nachdem er sein Studium abgebrochen hatte, machte er eine Weltreise. c) Als wir gestern diskutiert haben, habe ich mich sehr geärgert. d) Dadurch, dass er viele Geschäftsreisen machen musste, kam er viel herum. e) Nachdem ich zurückgekommen/zurückgekehrt war, hatte ich schon bald wieder Fernweh. f) Als (ich ein) Kind (war,) hatte ich kaum Spielzeug. g) Bis man eine Fremdsprache perfekt beherrscht, muss man viel lernen. h) Wenn die Bezahlung gut ist, nehme ich den Job. i) Da/Weil sie nicht genug Selbstbewusstsein hatte, verlangte sie keine Gehaltserhöhung.

S. 66/10 1 wegen; 2 zu; 3 Als; 4 an; 5 im; 6 Nach; 7 Zwischen; 8 dazu

S. 67/11 1) schön; 2) blendend); 3) vergeblich; 4) Plötzlich; 5) regelmäßig; 6) zielstrebig; 7) zunächst; 8) inzwischen; 9) Doch

S. 68/12 1) Arbeitnehmer; 2) Personalkosten/Lohnkosten; 3) Nettoeinkommen; 4) Arbeitgeber; 5) Aufwand; 6) Verdienstabrechnung; 7) Sozialkassen; 8) Lohnsteuer; 9) Lohnkosten/Personalkosten

S. 68/13 a) deutlich/eindeutig; immerhin/jedenfalls, wenigstens; je nachdem/abhängig davon; lediglich/nur; respektive/beziehungsweise; vielmehr/eher; zumeist/meistens; b) 1) Herr Soltau ist eindeutig schuld an der falschen Berechnung. 2) Seit die neue Geschäftsführerin da ist, geht der Umsatz deutlich nach oben. 3) Die Firma Schwung steht im Vergleich mit anderen Betrieben dieses Jahr nicht an erster Stelle, macht aber immerhin einen guten Umsatz. 4) Das Einkommen der Mitarbeiter ist unterschiedlich, je nachdem wie qualifiziert sie sind. 5) Spitzeneinkommen von über 200.000 Euro jährlich hat lediglich ein kleiner Prozentsatz der Berufstätigen. 6) In künstlerischen Berufen ist nicht Geld die Motivation, sondern vielmehr die innere Berufung. 7) Wenn man unkonzentriert arbeitet, liegt es zumeist an beruflichem Stress.

S. 70/1 Das Gedicht besteht aus lauter einzelnen Wörtern. Alle sind kleingeschrieben.

S. 70/2 a+b) „o": Stroh, Jod, Mohn, rot, Ohr, Mond – „a": Tag, Jahr, Bar, Gras, Schlag, Scham, Schlaf, Glas – „e": Krebs, Weg, See – „u": Flut, Fuß – „i": Kiel, Ziel, Lid

S. 71/3 a) „a": Tang, Glanz, Sand, Last, Fall, Strand, Hals, Salz, halt, Arm – „i": Strich, nichts, Bild, Schritt, Tritt, Wind, Schiff, ist, Blick – „o": Holz, Rock – „e": Netz – „u": Mund, Strumpf

S. 71/4 Doppelkonsonant: Tritt, Schiff, Fall – zwei oder mehr Konsonanten: nichts, Herbst, Glanz, Sand, Bild, Rost, Krebs, Last, Holz, ist, Strand, Duft, Hals, Salz, halt, Mund, Arm, Mond, Strumpf, Nacht – „ck": Blick – „tz": Netz – Doppelvokal: See – „ie": Kiel, Ziel – Vokal + h: Stroh, Jahr, Mohn – Vokal + r: Bar

LEKTION 7

S. 74/2 1 Entweder; 2 Oder; 3 Vielleicht; 4 z. B. vor; 5 viertes/letztes; 6 Deshalb/Deswegen/Darum/Aus diesem Grund; 7 Möglichkeit

S. 75/4 1 Komplize; 2 Richter; 3 Gemälde; 4 Haftstrafe; 5 Polizei; 6 Urteilen; 7 Staatsanwalts; 8 Verteidiger; 9 Freispruch

S. 75/5 Urteile: Raub; Gerichtsverhandlung (Personen): Vertreter; Straftat/Delikt: Verteidigung; Ermittlung: Delikt

S. 76/6 1 Delikte/Straftaten/Verbrechen; 2 Diebstahl; 3 Täter; 4 Anklage; 5 Plädoyer; 6 Geständnis; 7 Zeugen; 8 Freispruch; 9 Geldstrafe/Geldbuße; 10 Haftstrafe; 11 Bewährung; 12 Gefängnis

S. 76/7 Andreas hat ...: 4; Das Jugendamt ...: 5; Nachdem die Polizei ...: 2; Ein Sprecher ...: 3; Ein 13 Jahre ...: 1

S. 77/8 1 C; 2 D; 3 A; 4 C; 5 B; 6 C; 7 D; 8 A; 9 C; 10 B

S. 78/9 1 geben; 2 sein; 3 machen; 4 hat; 5 erregen; 6 unterbreiten; 7 stehen; 8 bringen; 9 finden; 10 machen

S. 78/10 b) Aufsehen erregt; c) infrage kommt; d) sich ... Gedanken gemacht; e) In Erstaunen versetzte; f) Die Folge war; g) in Angst zu versetzen; h) Abschied nehmen

S. 79/11 a) Die neuen Regelungen im Jugendstrafrecht werden schon seit Januar angewandt. b) Man hofft, dass viele straffällige Jugendliche durch therapeutische Maßnahmen vernünftig werden. c) Einige Fälle von gelungener Resozialisierung haben die Therapeuten und Richter bereits erstaunt. d) Auch strafunmündige Kinder bzw. deren Eltern können diese Hilfsmaßnahmen beantragen. e) Dabei kann unter mehreren Möglichkeiten, wie Gesprächs-, Spiel- oder Verhaltenstherapie, ausgewählt werden. f) Über den therapeutischen Nutzen anderer Methoden, wie zum Beispiel Abenteuerurlaub mit jugendlichen Straftätern, streiten sich einige Fachleute. g) Auch in Zukunft wird man über weitere geeignete Methoden nachdenken.

S. 79/12 a) Anwendung: Anwendung finden, passiv, Beginn; zur Anwendung kommen, passiv, Beginn – Bewegung: in Bewegung sein, aktiv, Dauer; sich in Bewegung setzen, aktiv, Beginn – Einfluss: unter Einfluss stehen, Dauer; Einfluss nehmen auf, aktiv, Beginn/Dauer – Entscheidung: zu einer Entscheidung kommen, aktiv, Ende; vor einer Entscheidung stehen, aktiv, Ende – Frage: außer Frage stehen, Zustand;

etwas infrage stellen, aktiv, Beginn; infrage kommen, Zustand – Gefahr: Gefahr laufen, Beginn – Streit: in Streit geraten, aktiv, Beginn – Zusammenhang: in Zusammenhang stehen, Zustand; in Zusammenhang bringen, Beginn

b) [Lösungsbeispiele] Seine Erfindung kommt endlich zur Anwendung. – Die Schüler stehen unter dem Einfluss ihres Lehrers. – Wir müssen noch diese Woche zu einer Entscheidung kommen. – Es steht außer Frage, dass der Angeklagte zur Tatzeit am Tatort war. – Die Agenten laufen Gefahr, entdeckt zu werden. – Zeuge A und Zeuge B sind wegen des Geldes in Streit geraten. – Der Streit und der Mord stehen in keinem Zusammenhang.

S. 80/13 [Lösungsbeispiel] c) Dabei verabreden sie eine Straftat. d) Sie wollen dadurch das große Geld machen. e) Denn ihre Arbeit als Fliesenleger auf einer Baustelle bringt nicht genug Geld. f) Deshalb planen sie eine Erpressung. g) Und zwar wollen sie in einer Supermarktkette Lebensmittel vergiften ... h) ... und bei der Firma fünf Millionen Euro erpressen. i) Anschließend wollen sie sich ins Ausland absetzen.

S. 80/14 a) In einer Kneipe. b) Sie spielen an einem Spielautomaten. c) Sie arbeiten als Fliesenleger auf einer Baustelle. d) Von einem Leben in Saus und Braus im Süden. e) Sie wollen eine Supermarktkette erpressen, indem sie Lebensmittel vergiften.

S. 81/15 eventuell noch akzeptabel: schummeln, jemandem einen Bären aufbinden, flunkern, eine Ausrede gebrauchen, Ausflüchte suchen nicht mehr akzeptabel: betrügen, jemanden in die Irre führen, jemanden hintergehen

S. 81/16 a) Irreführend ist die Vorstellung von einer unsicheren Stimme oder einem besonderen Gesichtsausdruck beim Lügen. b) Sehr wichtig können kleine Lügen manchmal im Umgang mit anderen sein. c) Nicht immer einfach erklären lassen sich die Gründe für so manche Schummelei. d) Verblüffend sind die neuesten Ergebnisse der Lügenforschung. e) Der Mensch kann fast alles kontrollieren – außer der inneren Erregung. / Außer der inneren Erregung kann der Mensch fast alles kontrollieren. f) Mit dem Polygrafen wird der Herzschlag und die Atmung gemessen.

S. 82/17 1 den Fall; 2 das Umgangsrecht; 3 vor Gericht; 4 Die Angelegenheit; 5 der Richter; 6 die Aussage; 7 den Vorwürfen; 8 Daten; 9 die Wahrheit

S. 83/2 a) Wenn man flüstert, fällt der Stimmton (fast) weg, d. h., dass zwischen stimmhaften und stimmlosen Konsonanten wie [v] und [f] kaum noch ein Unterschied zu hören ist. Auch die Vokale, die ja grundsätzlich stimmhaft sind, verlieren natürlich an Qualität.

LEKTION 8

S. 86/1 a) gelang; b) grenzt; c) erwecken; d) laufen ... ab; e) fallen; f) bringen; g) tragen; h) verloren

S. 86/2 a) Über, nach, für; b) vor, für, mit; c) mit, mit, als

S. 87/4 A Marketingchefin; B andere Abteilung; C Projektmanagerin; D Mitarbeiter; E Forschung und Entwicklung

S. 87/5 [Lösungsbeispiele] Florigene: ... Dieses deutsche Sprichwort muss nun neu geschrieben werden. Denn zum ersten Mal ist es gelungen, Blumen doppelt so lange blühen zu lassen wie bisher. Dazu nutzt

unser Unternehmen die neuesten Techniken auf dem Gebiet der Genforschung. Durch einen Eingriff in das Erbgut der Pflanzen wird das Reifehormon Ethylen nicht mehr produziert. Das freut nicht nur unsere Firmenkunden, sondern alle, die sich gerne öfter Blumen auf den Tisch stellen. – GenetiPet: Für viele Mitmenschen ist der Verlust des geliebten Tieres sehr schmerzhaft. GenetiPet bringt diesen Menschen neue Hoffnung. Schon bald wird es möglich sein, aus der DNS im Blut das geliebte Haustier neu zu zeugen. Dazu frieren wir einige Blutzellen des Tieres bei minus 150 Grad ein.

S. 88/6 a) verschrieb; b) bekämpfen; c) geheilt; d) patentieren; e) abgeschlossen; f) dokumentiert; g) studierte; h) durchführen

S. 88/7 b) Patienten; c) Experiment; d) Tests; e) Studie, Heilungsprozess; f) Fall; g) Medikaments

S. 89/8 4 B; 1 C; 3 D

S. 90/9 2 A; 3 D; 4 C

S. 90/10 interpretierend; global; kursorisch; detailliert; selektiv

S. 91/11 b) in; c) am/bis/gegen/vor/zum; d) mit/vor; e) auf/für/seit; f) Am; g) seit; h) bis (zum); i) in; j) In; k) am/–

S. 91/12 b) in den; c) auf den; d) am; e) zu einem; f) Auf der; g) in den/einen; h) im; i) zum; j) durch die/eine; k) um den/die

S. 91/13 b) mit; c) auf; d) vor; e) mit; f) in; g) auf; h) zu; i) In; j) für; k) Mit; l) um

S. 92/14 1. Text: zu, auf, über, in, vor, Für – 2. Text: von, aus, zur, in, um, in, bis zu, mit, im – 3. Text: in, übers, Unter, Für, zum, bis, im

S. 92/15 a) an; c) von; d) aus; e) für; f) auf; g) vor; h) davon; i) über; j) Auf; k) auf; l) zu; m) Aus

S. 93/16 2 Vorstellung; 3 Grenze; 4 Seiten; 5 Organe; 6 Medizin; 7 Auswirkungen; 8 Entwicklung; 9 Nutzen; 10 Experimente; 11 Gefahr

S. 93/17 a) Retortenbaby: Kind, das durch künstliche Befruchtung gezeugt wurde – künstliche Befruchtung: Verfahren, eine Eizelle außerhalb des Körpers mit einem Spermium zu vereinigen – Reproduktionsmedizin: Teilbereich der Medizin, der sich mit künstlicher Befruchtung beschäftigt – geklonte Tiere: Tiere, die nicht aus einer Eizelle, sondern aus einer Körperzelle gezeugt wurden; sie stellen identische Kopien des Tieres dar, von dem die Körperzelle stammte b) positiv: den Wunsch ...; andere Wege ... – negativ: die Tatsache ...; die Darstellung ...; die Rolle ...

S. 95/1 Nur die vorletzte Frage („Warum?") hat eine fallende Intonation, ansonsten haben alle Fragen steigende Intonation. Alle Aussagesätze haben eine fallende Intonation.

S. 95/3 „!": Noch einmal! Nein! Erst nächste Woche! Er liebt sie wirklich! Er kommt aus Deutschland! – „?": Warum nicht? Morgen? Du hast es nicht verstanden? Ich gehe dir auf die Nerven?

Lektion 9

S. 97/1 Bildende Kunst: die Aktzeichnung, das Bildnis, der Block, die Figur, das Frühwerk, das Gemälde, die Karikatur, der Künstler, die Künstlerin, die Leinwand, der Maler, die Malerin, das Mosaik, das Motiv, der Naturalismus, das Ornament, das Passepartout, die Perspektive, der Pinsel, die Plastik, das Porträt, der Rahmen, die Skizze, die Skulptur, das Stillleben, das Werk, die Zeichnung; abbilden, abstrahieren, zeichnen

Theater: die Epoche, die Figur, die Gestaltung, der Künstler, die Künstlerin, der Naturalismus, die Perspektive, das Werk; erscheinen, hervortreten personifizieren

S. 98/2 [Lösungsbeispiel] 1883 eröffnete er ein eigenes Atelier und spezialisierte sich auf Wandmalerei. – 1888 malte er Wandbilder für das Wiener Burgtheater und das Treppenhaus des Kunsthistorischen Museums in Wien.–1897 gründete er die Künstlergruppe *Wiener Sezession*, deren Mitglieder gegen den akademischen Stil revoltierten und stattdessen einen besonderen dekorativen Stil schufen. – Bald darauf entstanden drei allegorische Bilder für die Decken im Auditorium der Wiener Universität, welche einen Skandal hervorriefen. – Spätere Werke wie der Beethoven-Fries, der 1902 entstand, lassen Klimts typischen Stil erkennen. – Zu seinen berühmtesten Werken zählen „Der Kuss", entstanden 1908, und eine Serie von Porträts von Damen der Wiener Gesellschaft. – Klimt starb am 6. Februar 1918 in Wien.

S. 98/3 [Lösungsbeispiel] Handzeichnungen: Zeichnungen von Hand; von Hand ausgeführte Zeichnungen; Zeichnungen, die von Hand ausgeführt werden – das Frauenporträt: das Porträt einer Frau; das Porträt, das eine Frau darstellt; das eine Frau darstellende Porträt – die Künstlervereinigung: die Vereinigung von Künstlern; die Vereinigung, deren Mitglieder Künstler sind; die aus Künstlern bestehende Vereinigung – der Skizzenblock: der Block für Skizzen; der Block, auf dem man Skizzen macht; der für Skizzen benutzte Block

S. 98/4 b) inspiriert; c) suchend; d) umhüllt; e) abgebildeten, fließende

S. 98/5 a) Mit Ernst Klimt, seinem jüngeren Bruder, hatte er ein gemeinsames Atelier. b) Künstlerkollegen des Malers, wie zum Beispiel Franz Matsch, arbeiteten zeitweise mit ihm zusammen. c) Der Stil, der Ende des letzten Jahrhunderts geschaffen wurde, hatte einen großen Einfluss auf alle Kunstrichtungen.

S. 99/6 1) Plastik; 2) vorgestellt; 3) entwerfen; 4) gestaltet; 5) Designer; 6) erhält; 7) Hergestellt; 8) einzigartig; 9) Produkt; 10) Konzept

S. 99/8 1 war; 2 unterscheiden; 3 erscheinen; 4 beobachten; 5 verwandelt; 6 bilden; 7 treten; 8 gerichtet; 9 erzeugt

S. 100/9 1 D; 2 B; 3 C; 4 B; 5 D; 6 A; 7 A; 8 C; 9 A; 10 A

S. 101/10 Schauspielschulen, Auftritt, Vorsprechen, Schauspieler, Begabung, Jury, Seminar

S. 102/11 die Ausstrahlung, die Ernsthaftigkeit, die Spontanität, die Leidenschaft, die Fantasie, der Rhythmus, die Begeisterung, die Selbstsicherheit, die Begabung, die Vorstellungskraft

S. 102/12 a) Aufnahme, Auftritt, Ausbildung, Bewerbungen, Inszenierung, Scheitern, Spiel, Vortrag
b) Begabung, Engagement, Heiterkeit, Komik, Künstler, Leidenschaft, Persönlichkeit, Vielseitigkeit

S. 103/13 a) bei jemandem verspielt haben: von jemandem nicht mehr gemocht werden – eine Rolle spielen: wichtig sein – etwas aufs Spiel setzen: viel riskieren – jemanden aus dem Spiel lassen: jemanden nicht einbeziehen wollen b) 1 aufs Spiel setzen; 2 gute Miene zum bösen Spiel gemacht; 3 spielt doch eine Rolle; 4 aus dem Spiel zu lassen

S. 103/14 a) Es mag sein, dass ...; b) Der Regisseur soll mit seinem Team heftig zerstritten sein. c) Es muss im Moment schwierig sein, weiterzuproben. d) Als Nächstes soll ein pantomimisches Stück gespielt werden. Es dürfte bei den Zuschauern auf großes Interesse stoßen. e) Ein Theater-

kritiker will schon bessere Inszenierungen von Goethes *Faust* gesehen haben. f) Er mag als Schauspieler (ja) schon viel Erfahrung haben. g) Er kann die Schauspielerin Mizzi A. nicht persönlich gekannt haben.

S. 104/15 a) Man sollte die Premierenkarten schon Wochen vorher kaufen. b) Die Frau an der Abendkasse muss mir eine falsche Platznummer gegeben haben. c) Er will mir das Programmheft zurückgegeben haben, aber ich bezweifle das. d) Sie sollten/müssen sich unbedingt mal die neue Inszenierung von *Faust* ansehen. e) Das dürfte Goethe geschrieben haben, aber es könnte auch von einem seiner Zeitgenossen stammen. f) Der Stargast soll 15 000 Euro Gage pro Abend bekommen. g) Er muss sich erkältet haben. h) Er will viel von Musik verstehen. i) Von *Tristan und Isolde* soll eine Neuinszenierung geplant sein. j) Oskar Werner soll zu den ganz großen Schauspielern gezählt haben. k) Er dürfte auch die nächste Spielzeit hierbleiben.

S. 104/16 a) Er hat seine Arbeit nicht mehr verrichten können. b) Er dürfte schon oft auf der Bühne gestanden haben. c) Sie haben (aber) ihre Aufregung nicht zeigen dürfen. d) Sie haben ihr vielseitiges Talent zeigen müssen. e) Sie müssen völlig erschöpft gewesen sein. f) Er soll mit der Schauspielschule im Streit gelegen haben. g) Sie hat das Rhythmusgefühl und die Beweglichkeit der Kandidaten testen sollen.

S. 105/3 b+c) Durch die Pausen werden Sinnabschnitte voneinander abgegrenzt, um für den Hörer die Verständlichkeit zu erhöhen oder um seine Aufmerksamkeit auf etwas zu lenken. Die deutlichste Pause ist nach dem Satz „Sie opponierten ... Akademien" feststellbar. Hier findet ein thematischer Wechsel weg von Klimt und seinen Künstlerkollegen und hin zu Klimts Werken statt. Innerhalb des ersten Satzes wird der Name „Gustav Klimt" durch Pausen etwas abgesetzt und dadurch hervorgehoben.

LEKTION 10

S. 108/1 1 Güter; 2 Einzelhandel; 3 Wohlstand; 4 Befürworter; 5 Wachstum; 7 Dienstleistungen; 8 Standort; 9 Vereinheitlichung; 10 Geschäftsführer; 11 herstellen; 12 Unternehmen; 13 Konsument; 14 Geschäftsbeziehungen

S. 108/2 a) Armut; b) Güter; c) Schrecken; d) Misstrauen; e) Mitgefühl; f) Fairness; g) Konzern; h) produzieren; i) zerstören

S. 109/3 b) 2) Produktionsort; 3) Weltmarkt; 4) weggeworfen; 5) Überfluss; 6) importiert; 7) industrialisieren; 8) Gemüseproduktion; 9) Wirtschaftszweig; 10) Konsumenten

S. 111/5 c) 2) gefärbt; 3) hergestellt; 4) geflogen; 5) erfolgt; 6) verkauft; 7) gegeben; 8) sortiert; 9) gebracht

S. 112/7 2) Vertrautheit; 3) Heimweh; 4) Sehnsucht; 5) Tradition; 6) Kulturen

S. 112/8 Kinderarbeit soll vermieden werden. Die Löhne sollen verbessert werden. Hohe Umweltbelastungen sollen vermieden werden. Gesundheitliche Risiken sollen reduziert werden. Den Menschen soll geholfen werden, indem gute Arbeitsbedingungen geschaffen werden. Die Verbraucher sollen sensibilisiert werden, indem ökonomische Zusammenhänge aufgezeigt werden. Das Konsumverhalten soll geändert werden.

S. 113/9 b) Ein Problem, das schwer zu lösen ist. c) Eine Frage, die zu diskutieren ist. d) Ein Angebot, das verlockt. e) Ein Kulturerbe, das zu bewahren ist. f) Eine Globalisierung, die ständig wächst. g) Ein Vertrag, der geschlossen werden muss. h) Eine Tradition, die wiederbelebt werden soll.

S. 113/10 b) Eine ganz leicht zu lösende Aufgabe. c) Eine zu renovierende Wohnung. d) Eine aufzubringende Leistung. e) Eine nicht zu verdrängende Erfahrung. f) Ein mehr und mehr verschwindendes Problem.

S. 113/11 a) prägende; b) unbeschwerte; c) einzigartige; d) verlockendes; e) bemerkenswertes; f) bewahrenswertes

S. 114/13 Umweltbelastung, Drogenhandel, Hoffnungsträger, Arbeitsbedingung, Arbeitsbelastung, Arbeitskosten, Massenprotest, Massengüter, Massenproduktion, Welthandel, Transportkosten, Transportwesen, Konsumgüter, Konsumverhalten, Protestbewegung

S. 115/1 b) recht; c) ruhig; d) schneit; e) ja; f) Frag; g) erklären; h) bloß; i) unfreundlich; j) Schreib; k) viel zu viel

S. 115/2 a) Geld/Geld; b) Geld/Geld; c) kannst/ruhig; d) Geld/Geld; e) schwer/schwer; f) Recht/Recht; g) fragen/fragen; h) erklären/erklären; i) Blödsinn/bloß; j) Schulden/bloß; k) sparsam/sparsam; l) unfreundlich/unfreundlich; m) wahnsinnig/wahnsinnig; n) verdient/verdient; o) Zeit/Zeit; p) Das/Das

S. 115/3 unbetont

QUELLENVERZEICHNIS

Kursbuch S. 64: Foto links oben: „Selbstmanagement / TRANSFER" © 2006 GABAL Verlag, Offenbach am Main, ISBN 3-89749-647-x / 978-3-89749-647-7; Abbildung rechts oben: mit freundlicher Genehmigung der geva-Institut GmbH; links unten: mit freundlicher Genehmigung von Neuland & Partner Development and Training, rechts unten © MHV-Archiv; S. 65: Foto: © Dieter Reichler (MHV-Archiv); S. 67: Foto: © Corbis; S. 68: „Fragebogen" aus: STERN 23/97 © Gassen; S. 69f: Foto: © picture-alliance/dpa; Text „Frauen..." aus STERN 23/97 © Gassen; S. 70: Text 2: mit freundlicher Genehmigung von Frau Professor Christine Nüsslein-Volhard; Text 3 aus: AZ vom 08.03.96 © Susanne Geiger; Text 4: Autoren; S. 72: Foto: © Irisblende/ Reinhard Berg; S. 73: Foto: © MEV (MHV) ; S. 74: Text und Grafik: © Globus Infografik; S. 75f: Foto: © MEV (MHV); Texte aus: AOL Deutschland, aol.de/finanzen; S. 77: Grafik: © Globus Infografik; S. 79: Foto aus: „Über den Dächern von Nizza" © Stiftung Deutsche Kinemathek, Berlin; S. 80: Text: Franz Specht, Wessling; S. 82: Foto rechts: © Dieter Reichler (MHV-Archiv); links © Deutscher Kinderschutzbund Hannover (Art & Fotografie Freibeuter); Text zitiert nach: Die Woche v. 30.05.1997; S. 83: Foto rechts: © Gudrun-Holde Otmer (MHV-Archiv); links © Süddeutscher Verlag Bilderdienst (Lothar Kucharz); Text zitiert nach: die Woche v. 30.05.1997; S. 86f: Fotos © Gerd Pfeiffer (MHV-Archiv); Text „Tatort Alltag ..." aus: „Die Wahrheit über die Lüge" gesendet am 06.09.2001 in Abenteuer Wissen, TV-Beitrag: Rasmus Elsner; Online-Beitrag: Martina Falkenhage © ZDF*; S. 88: Foto: © Süddeutscher Verlag Bilderdienst (Andreas Heddergott): Text aus: „Gegen die Wahrheit des Lügendetektors" von Ekkehard Müller-Jentsche, SZ vom 10.11.1998, © DIZ; S. 91: Foto 1, 2, 4, 5 und 7 aus der Broschüre „Deutsche Stars. 50 Innovationen, die jeder kennen sollte" © Initiative „Partner für Innovation", fischerAppelt, Berlin; 3 © Irisblende/Alexander Bernhard; 6 © panthermedia/ Rene W.; S. 92f: Text aus Broschüre „Deutsche Stars. 50 Innovationen, die jeder kennen sollte" © Initative „Partner für Innovation", fischerAppelt,

Berlin; Abbildung: MHV-Archiv; S. 93: Foto: © MHV-Archiv; S. 94: Foto 1., 2. und 4.v.l.: © MHV-Archiv; 3.v.l.: © panthermedia/Ralf Jüngling; 5. v.l.: © Shotshop/Jan Öztürk-Lettau; 6.v.l. : © panthermedia/Ludger Banneke-Wilking; S. 95: © Dieter Reichler (MHV-Archiv); S. 98f: Fotos: © Bayer AG, Leverkusen; Text aus: SZ Magazin 13/93 © Magazin Verlagsgesellschaft SZ München mbH; S. 101: Text 1 aus: SZ v. 08.06.2001, © DIZ; S. 103: Bilder © Artothek, Peissenberg; S. 104: Foto © Bildarchiv der Österreichischen Nationalbibliothek; Text aus: Gegenwelten. Gustav Klimt – Künstlerleben im Fin de Siecle von Susanne Partsch, Bayerische Vereinsbank, 1996; S. 106: oben: Kölner Dom © MEV/MHV; Haus am Horn © Bernd Rudolf; Schinkelgebäude © Presse- und Informationsamt des Landes Berlin/G. Schneider; Wiener Jugendstil © OEW/Eder Abbildung unten links: © COR Sitzmöbel/Design: Studio Vertijet; unten rechts: © Bröhan-Museum, Berlin COR Sitzmöbel/Design: Studio Vertijet; S. 108: Bild links: © Historisches Museum der Stadt Wien; Mitte und rechts: © Artothek, Peissenberg; Hörtext von Alfred Weidinger, Wien; S. 109f: Foto: © Franz Killmeyer, Wien; Text aus: BRIGITTE 22/96, © BRIGITTE/Kölblinger; S. 110: Foto © Andreas Bohnenstengel, München; S. 113: Foto oben: © Burgtheater Wien (Andreas Pohlmann); unten: © Deutsches Theatermuseum, München; S. 114: Fotos © Dieter Reichler (MHV-Archiv); S. 117: Foto oben: © Irisblende/Reinhard Berg; Mitte: © panthermedia/Ingo Dumreicher; unten: © Irisblende /Iris Kaczmarczyk; S. 119: Abbildung: © Helge Glatzel-Poch, Bad Tölz; S. 120: Foto oben: © Creatas/Thinkstock Images (MHV); Mitte: © MEV (MHV); unten: © Irisblende/Normann Hochheimer; S. 121: Foto links: © panthermedia/Günter F.; rechts: © panthermedia/Anna R.; Text unten aus: Psychologie Heute Heft 12/2005 von Martin Hecht „Wir Heimat-Vertriebenen"; S. 122: Foto links: © Irisblende/Alexander Bernhard; rechts: © picture-alliance/dpa; S. 123: © panthermedia/Deflef S.; 127: Fotos und Hörtext: © WDR mediagroup/Caligari Film

Arbeitsbuch S. 64: Text aus: Informationen für Frauen, Presse- und Informationsamt der Bundesregierung, Bonn 1998; S. 66: Texte 1-4: Pressemeldungen; S. 67: Foto: © picture-alliance/ KPA; Filmkritik aus: Michael Töteberg (Hrsg.), Metzler Film Lexikon. 2., aktualisierte und erweiterte Auflage, S. 193f. © 2005 J. B. Metzlersche Verlagsbuchhandlung und Carl Ernst Poeschel Verlag GmbH in Stuttgart; S. 68: Text „Aus 2795 werden um 1490": Globus Infografik; S. 70: Gedicht aus: Dietrich Krusche, Anspiel. Inter Nationes, Bonn 1986; S. 74: TransFilm GmbH, Berlin © Ekko von Schwichow; S. 75: Text „Langjährige Haftstrafen ...": AP/Reuters-Meldung vom 16.01.1999; S. 76: Textpuzzle: dpa-Meldung vom 06.02.1999; S. 77: Text: dpa; S. 80f.: Text: Franz Specht, Wessling; S. 83: Gedicht: © Kurt Sigel; S. 87/88: Ausschnitte aus Presseberichten; S. 90: Text A: SZ Magazin, Heft 13/93; S. 92: © Bayer AG; S. 92 Text „Radweg ...": PM 3/99; „Problemfresser": SZ vom 11.12.1998 © DIZ; „Ein Stück ..." AZ vom 24.02.99; S. 93: Foto: © Dieter Reichler (MHV-Archiv); S. 94: Text von Holger Wormer aus: SZ vom 24.09.1998, © DIZ; S. 99: Text nach: Dr. Bettina Becker, Kassel © Goethe-Institut,

Online-Redaktion; S. 100: Text und Bild: Autoren; S. 101: Foto aus „Kleine Haie" © Scotia International Filmverleih GmbH Deutschland; S. 105: Gedicht aus: Josef Guggenmos, „Oh Verzeihung sagte die Ameise", © 1990 Beltz Verlag, Weinheim und Basel, Programm Beltz & Gelberg, Weinheim; S. 109: Fotos aus „We feed the world" © Allegrofilm; Text: Autoren; S.111: Text „Die Weltreise der Jeans...." mit freundlicher Genehmigung www.mediafant.de/; S. 114: Fotos aus „Windstärke 8" © Caligari Film- und Fernsehproduktions GmbH; S. 119/121/122: Text: Autoren; S. 123: Text: Werbeanzeige der AOK; S. 125: Hörtext: Gabriele Bondy/Dr. Peter Schwind, Seele in Not. Die Sprache des Körpers lesen lernen. Der biogenetische Ansatz. Schulfunksendung des Bayerischen Rundfunks vom 26.01.1998

Wir haben uns bemüht, alle Inhaber von Text- und Bildrechten ausfindig zu machen. Sollten Rechteinhaber hier nicht aufgeführt sein, so wäre der Verlag für entsprechende Hinweise dankbar.